러시아·중앙아시아 설화

넓고 거친 세상의 긴 밤, 이야기가 있어 외롭지 않은

건국대 서사와문학치료연구소
다문화 구비문학대계 15

러시아·중앙아시아 설화

넓고 거친 세상의 긴 밤, 이야기가 있어 외롭지 않은

2022년 5월 10일 초판 인쇄
2022년 5월 15일 초판 발행

지은이 신동흔 외
펴낸이 이찬규
펴낸곳 북코리아
등록번호 제03-01240호
전화 02-704-7840
팩스 02-704-7848
이메일 ibookorea@naver.com
홈페이지 www.북코리아.kr
주소 13209 경기도 성남시 중원구 사기막골로 45번길 14
우림2차 A동 1007호
ISBN 978-89-6324-865-3 (94810)
978-89-6324-850-9 (세트)

값 14,000원

건국대 서사와문학치료연구소
다문화 구비문학대계 15

러시아·중앙아시아 설화

넓고 거친 세상의 긴 밤, 이야기가 있어 외롭지 않은

신동흔 박현숙 김정은 오정미
조홍윤 김영순 황혜진 강새미
김민수 김자혜 김현희 엄희수
이승민 이원영 한상효 황승업

북코리아

머리말 : 현장에서 만난 1,364편의 생생한 이야기

캄보디아, 베트남, 필리핀, 중국, 일본, 인도, 카자흐스탄, 에스토니아, 브라질….

세계 여러 나라에서 온 이주민 화자들이 한국어로 구술하는 설화들을 들으면서 마치 꿈속의 한 장면에 들어와 있는 듯했다. 그들의 입에서 가지각색 설화들이 술술 흘러나오고 있는 광경이 거짓말 같았다. 책에서나 볼 수 있었던, 아니 책으로도 볼 수 없었던, 깊은 재미와 의미가 차락차락 우러나는 원형적 이야기들! 그 보물 같은 이야기들을 현장에서 만날 수 있다는 것은 최고의 축복이었다.

한국에 이주해서 생활하는 외국 출신 제보자들을 대상으로 한 설화 조사를 계획하면서 기대보다는 걱정이 컸다. 한국과 달리 설화 문화가 유지되고 있어서 구전설화를 기억하고 전해줄 수 있으리라는 기대가 있었지만, 30~50대가 주축을 이루는 제보자들이 설화를 오롯이 구연할 수 있을지 의문이었다. 모국어가 아닌 한국어로 구술해야 하는 상황이라서 더 그랬다. 한국생활이 쉽지 않을 이주민들이 선뜻 마음을 열어줄까 하는 걱정도 없지 않았다.

결과는 기대 이상이었다. 수많은 이주민 제보자들이 기꺼이 자국 설화 구연에 나서 주었다. 모국의 이야기와 문화를 알린다고 하는 책임감과 자부심이 주요 동기였지만, 그들은 곧 설화 구연이 매우 즐겁고 유익한 일이라는 사실을 깨달았다. 그들은 한 명의 문학적 주체가 되어서 자신이 아는 이야기들을 성심성의껏 들려주었다. 고향에 계신 어른들에게 연락해서 묻거나 숨은 자료를 찾아서 구연해 주기도 했다.

모든 이야기는 책이나 자료를 읽어주는 형태가 아니라 내용을 기억하고 새겨서 말로 구술하는 형태로 조사를 수행했다. 마음으로 기억해서 재현한 것이라야 화소(話素)와 스토리가 살아있는 진짜 구비문학 자료가 되는 것이기 때문이다. 제보자들이 구술로 전해준 이야기들 속에는 실제로 구비문학적 힘이 생생히 깃들어 있다. 재미있고 의미심장하며, 현장감이 넘친다. 그 언어는, 살아 있다.

조사 과정에서 이야기를 들으면서 놀란 적이 한두 번이 아니다. 이주민 제보자들은 평균적인 한국 사람들보다 훨씬 이야기를 잘했다. 한 사람이 수십 편의 설화를 유려하게 구술한 사례가 여럿이며, 한 편의 설화를 30분 이상 완벽하게 구연한 경우도 꽤 많았다. 캄보디아의 킴나이키 제보자 같은 경우는 한 편의 설화를 2시간에 걸쳐 생생하게 구연하기도 했다. 한국의 유력한 이야기꾼들에게서도 좀처럼 보기 어려운 모습이다.

10여 명으로 구성된 조사팀이 만 3년에 걸친 현지조사를 통해 만난 화자는 150명 이상이며, 수집한 자료는 약 2,000편에 이른다. 이 중 공개 동의를 얻지 못한 이야기와 완성도가 낮은 이야기들을 제외하고 가치 있는 것들을 선별한 결과 27개국 130여 명 제보자가 구술한 1,364편의 이야기 자료가 추려졌다. 자료마다 기본 구연정보와 줄거리(개요) 등을 갖추어서 정리하니 분량이 단행본 20권을 채우게 되었다. 양적·질적 측면에서 '한국구비문학대계'에 비견될 '다문화 구비문학대계'라고 해도 좋겠다고 생각해서 이를 총서명으로 삼았다. 『한국구비문학대계』(1980~1988; 전 82권)는 한국 구비문학 조사사업의 빛나는 성과이자 인류의 소중한 문화유산으로서, 갈수록 가치가 증대되고 있는 구술자료집이다. 우리의 『다문화 구비문학대계』도 그와 같은 역할을 하게 될 것으로 믿는다. 세계 각국의 설화를 생생한 한국어로 집대성했다는 점에서 전에 없던 새롭고 특별한 언어문화 자료집이다. 이와 같은 현지조사 성과는 세계적으로도 유례없는 일임을 강조하고 싶다.

다문화 구비문학대계는 20권의 자료집과 1권의 연구서로 구성되어 있다. 자료집 구성은 다음과 같다.

1~2권 : 캄보디아 설화 (64편)
3권 : 태국·미얀마 설화 (53편)
4~5권 : 베트남 설화 (114편)
6권 : 필리핀·인도네시아·대만·홍콩 설화 (72편)
7~9권 : 중국 설화 (186편)
10권 : 몽골 설화 (92편)
11~12권 : 일본 설화 (149편)
13권 : 인도·네팔 설화 (78편)
14권 : 카자흐스탄 설화 (61편)
15권 : 러시아·중앙아시아 설화 (55편)
16권 : 유럽·중동·중남미 설화 (57편)
17권 : 세계의 문화와 풍속 이야기 (93편)
18권 : 세계의 속신·금기와 속담 (160편)
19권 : 세계의 신과 요괴 전승 (91편)
20권 : 한국 이주 내력 및 생활담 (39편)

1~16권까지 각국 설화를 나라별로 정리해 실었고, 17~20권에는 세계 여러 나라 문화 이야기와 속담, 생애담 등의 구술담화를 모아서 수록했다. 15권의 '중앙아시아'에는 우즈베키스탄, 키르기스스탄, 타지키스탄이 포함되며, 16권에는 에스토니아, 스웨덴, 터키, 아제르바이잔, 사우디아라비아, 도미니카공화국, 칠레, 브라질, 파라과이 등 9개국 자료가 실려 있다. 다 합치면, 설화가 수록된 나라는 총 27개국에 이른다. 중국편 자료가 가장 많은데, 한족과 조선족 자료를 포괄한 것이다. 7권에 한족 제보자의 구술자료를, 8~9권에 한국계 중국인 제보자 구술자료를 수록했다. 설화는 각 나라마다 앞쪽에 신화와 전설에 해당하는 것들을 싣고 뒤쪽에 민담을 실었다. 같은 유형의 자료를 한데 모으고 서로 내용이 통하는 자료를 이어서 배치함으로써 효과적으로 내용을 견줘볼 수 있게 했다.

27개국 총 1,364편에 해당하는 설화 자료 가운데는 한국에 처음 소개되는 것들이 매우 많다. 1, 2권에 해당하는 캄보디아 설화는 대부분 길고 흥미로운 것들인데, 모두가 한국어로 처음 출판되는 것들이다. 필리핀과 몽골, 인도, 카자흐스탄 등의 수많은 이야기들도 대부분 새로운 것들로 구성돼 있다. 베트남과 중국, 일본 설화 가운데는 한국에 알려진 유명한 이야기들도 포함돼 있지만, 새롭게 소개되는 것들도 많다. 각국의 대표 설화, 예컨대 베트남 설화 〈의붓자매 떰과 깜〉이나 일본 설화 〈복숭아 동자 모모타로〉 같은 경우는 제보자마다 이야기를 구술해서 최대 7~8편에 이르는 각편을 수록했는데, 세부 내용상 크고 작은 차이가 있다. 각편(各篇)마다 미묘한 차이가 있는 것은 구비설화의 본래적 특징으로, 이는 중요한 연구대상이 된다. 각국 주요 설화의 구술자료 각편들을 생생한 구어로 풍부하게 갖춘 것은 해당 국가에도 없던 일로서, 본 자료집의 가치를 더욱 높여주는 요소가 된다.

구비문학에 낯선 독자들로서는 구술을 녹취한 본문이 처음에 다소 어색하게 여겨질 수도 있을 것이다. 하지만 찬찬히 읽어나가다 보면 구술 담화의 맛과 가치를 생생히 느끼게 되리라고 믿는다. 구술자의 다양한 목소리가 귀에 쟁쟁 울려오는 듯한 경험을 할 것이다. 이주민 구술자들에 대하여, 이들은 오롯한 문화적·문학적 주체이자 구비문학 아티스트라고 말하고 싶다. 설화를 전공하는 한국인 연구자들에게 한국어 구술로 큰 감동과 깨우침을 안겼으니 특별한 아티스트가 아닐 수 없다. 현지조사 과정에서도 틈나는 대로 부탁했거니와, 이들이 앞으로도 적극적인 설화 구술로 21세기 한국어문화의 한 주역이 되어 주기를 기대한다.

본 자료집은 구비문학 연구와 언어문화 연구, 다문화 한국사회 연구를 위한 기초 자료로 널리 활용될 수 있다. 학술연구 외에 문화콘텐츠와 교육용으로도 본 자료집은 큰 의의를 지닌다. 작가와 기획자들에게 새롭고 특별한 소재를 제공할 것이며, 각급 학교와 평생교육 기관 등에서 다문화 교육자료 등으로 활용될 것이다. 아울러 본 자료는 일반 독자들에게도 재미있고 소중한 문학적·문화적 경험을 전해줄 것이다. 한국인 독자들은 외국의 문학과 문화에 대한 이해를 넓히는 한편으로 이주민들에 대한 인식을 일신할 것이며, 이주민과 다문화가정 구성원들은 문화적 정체성과 자부심을 내면화할 것이다. 아무쪼록 이 책이 한국사회 구성원들이 열린 마음으로 서로를 이해하는 가운데 상생적 화합과 발전을 이루어나가는 데 기여하기를 바라는 마음이다.

3년간의 현지조사와 정리 작업은 한국학중앙연구원 한국학 토대연구 지원 사업에 힘입어 진행되었다. 꼭 필요한 지원이 이루어져서 좋은 자료들을 널리 수집할 수 있게 된 데 대해 감사의 뜻을 밝힌다. 자료의 출판은 연구지원과 별개로 이루어진 것으로, 출판사의 후의와 결단에 의해 이루어졌다. 자료집의 가치를 이해하고 기꺼이 출판을 맡아준 북코리아 이찬규 사장님과 편집부 김수진 과장님께 깊은 감사 인사를 드린다.

이 자료집이 나올 수 있었던 것은 현지조사와 자료정리의 실무를 맡아 수고한 전임연구원과 연구보조원들이 있었기 때문이다. 팀장을 맡아서 일련의 길고 힘든 작업을 훌륭히 감당해준 박현숙, 김정은, 오정미, 조홍윤 박사와 이원영, 황승업, 김자혜, 김현희, 한상효, 김민수, 이승민, 엄희수, 강새미 등 여러 연구원의 노고에 감사와 사랑의 마음을 전한다. 공동연구원으로서 현지조사와 연구작업을 적극 뒷받침해준 김영순, 황혜진 선생님께도 깊이 감사드린다.

이 책은 기꺼이 이야기를 들려준 여러 제보자들에 의해 이루어진 것이다. 낯선 조사자들을 반갑게 맞이하고 바쁜 시간을 쪼개어 열성껏 이야기를 풀어내 주신 130여 명 제보자들께 머리 숙여 인사드린다. 본 자료집이 특별하고 귀중한 문화유산으로 자리 잡아 오래도록 널리 활용됨으로써 제보자들의 열정과 노고가 빛을 발할 수 있기를 바라 마지않는다. 모두들 행복하게 씩씩하게 잘 지내면서 한국사회의 실질적 주역 구실을 해주시기를 기원하며, 다시 만나 많은 이야기들을 즐겁게 나눌 수 있기를 기대한다.

2022년 5월
저자를 대표하여
신동흔

목차

우즈베키스탄

키르기스스탄

타지키스탄

일러두기

1. 본 자료집은 한국에 와 있는 세계 여러 나라 이주민이 한국어로 들려준 설화와 생애담, 문화 이야기 등을 화자가 구술한 대로 녹취하여 정리한 것이다. 현지조사는 구비문학 전공자들이 만 3년에 걸쳐서 진행했으며, 구비문학 조사 및 정리 방법에 따라 자료를 수집 정리했다. 27개국에서 온 130명 이상의 제보자를 직접 만나서 구술 자료를 녹음했다. 제보자의 주축은 결혼이주민이며, 유학생과 이주노동자도 포함돼 있다.

2. 자료집은 총 20권으로 구성되어 있으며, 총 1,364편의 구술 이야기 자료가 수록되어 있다. 1~16권에는 각 나라별로 신화와 전설, 민담 등 설화자료를 실었고, 17~20권에는 여러 나라 문화 이야기와 속신·속담, 신과 요괴 전승, 생애담 등을 종합해서 실었다. 별권으로 연구서 『다문화 이주민 구술설화 연구』를 갖추어 조사사업의 성격과 의의를 밝히고, 자료 총목록을 제시했다.

3. 모든 자료마다 조사일시와 장소, 제보자와 조사자 등 기본 구연정보를 제시하고, 이야기 줄거리(또는 개요)를 제시하여 이해의 편의를 도왔다. 그리고 모든 설화와 생애담 자료에 '구연상황'을 제시하여, 해당 이야기가 어떤 맥락에서 구술되었는지 알 수 있게 했다. 설화집에 해당하는 1~16권 말미에는 나라별 제보자에 대한 정보가 제시되어 있다. 제보자 인적사항과 특성은 조사 당시를 기준으로 삼은 것으로, 추후에 변동되었을 수도 있다.

4. 이야기 본문은 녹음된 내용을 그대로 받아 적었으며, 현장 상황을 생생히 전하기 위해 조사자와 청중의 반응 부분을 함께 담았다. 한국어 어법에 맞지 않는 구술도 그대로 반영하여 전사했으며, 오해의 소지가 큰 경우 괄호 속에 표준어 표기를 제시했다. 내용 이해를 위해 필요한 경우에는 각주를 달아서 보충 설명을 했다.

5. 이야기 본문에서 제보자의 구술 외에 조사자와 청자의 반응은 [ ] 속에 넣어서 정리했으며, 기타 보충설명은 ( ) 안에 제시했다. 여러 조사자가 발언한 경우 '조사자 1', '조사자 2' 등으로 표시했는데, 번호는 구연정보의 조사자 순서에 준한다. 본문은 이야기 전개 흐름에 따라 문단을 나누었으며, 대화에 해당하는 부분은 행을 바꾸어 표현했다. 대화에 부수되는 언술은 행을 달리하되, '고'나 '구'는 구어체 특성을 살려 대화문 뒤에 붙였다. 2인 이상의 제보자가 공동으로 구술한 자료는 각 제보자와 조사자의 발화를 단위로 삼아 단락을 나누는 방식으로 편집했다.

6. 본 자료집에 자료를 수록한 모든 제보자들에게는 사전에 자료공개 동의를 받았다. 다만, 생애담 등의 구술에서 사적 정보가 노출될 수 있는 부분은 내용을 일부 삭제하거나 **로 표시하기도 했다. 조사장소도 개인정보 보호를 위해 번지수와 같은 세부정보를 삭제했다.

러시아

숲의 신 래쉬

● **구연정보**

조사일시 : 2018. 01. 29(월) 오전
조사장소 : 대구광역시 중구 남산동
제 보 자 : 나탈리아 [러시아, 여, 1983년생, 결혼이주 13년차]
조 사 자 : 김정은, 황승업, 강새미

● **구연상황**

제보자가 〈나쁜 형 착한 동생과 집의 신 다마보이〉를 구연한 뒤 숲에도 신이 있는데, 그 이름은 래쉬라고 했다. 래쉬에 관한 설화를 구연하기 전에 기독교 이전에는 신이 많았는데 다 잃어가서 아쉽다는 이야기를 했다. 조사자의 반응을 보면서 대구 사투리로 이야기를 이어 나갔다.

● **줄거리**

러시아 사람들은 숲에 신이 있다고 믿었다. 숲의 신은 나무나 버섯 등 자연물로 변신한다고 믿었기 때문에 사람들은 숲에서 함부로 자연물을 해치지 않았다. 한 사냥꾼이 숲으로 사냥을 가서 곰을 만났는데, 총을 쏘려다가 곰 새끼들이 지나가는 것을 보고 총을 거두었다. 또 늑대를 발견해서 쏘려고 하다가 새끼들이 지나가는 것을 보고 총을 쏘지 않았다. 이를 지켜본 숲의 신은 사냥꾼이 착한 사람이라고 생각하고 그를 위해 숲에 집을 마련해서 편하게 쉴 수 있게 했다. 숲의 신은 사람들이 자기에게 잘 하면 고마움을 알고 잘 대해주지만, 함부로 숲을 해치면 자기가 키우는 무서운 동물들을 보내서 벌을 주기도 한다.

숲에 가면은 또 신이 있는데. 그런데 이렇게 집에 있는 신은 우리 볼 수 없으니까. 숲에 계시는 신은 동물 속에 들어가거나, 나무로 변신하거나, 버섯으로 변신하거나 할 수 있는 거예요. 그래서 그것도 내 생각에는 옛날 사람들이 일부로 그렇게 이제 만들었었어.

그러니까 이제 숲에 가면은, 어떤 사람이 이렇게 숲에 다니다 보면은, 이렇게 뭐라케야 되노. 길 잃어버릴 수 있잖아요. 그죠? [조사자: 네, 네.] 우리나라는 산 아니고 숲인데, 정말 이렇게 좀 사람들이 잘 안 가는 데가 또 있어요. 그래서 가면은

'나무 해치거나, 버섯 이렇게 함부로.'

[조사자: 함부로.] 어, 어.

'자르면 안 된다.'고.

왜냐하면은 이 신이 어떤 걸로 변신했는지 우리 모르잖아요. 이 나무,

'이 나무로 변신했다.'

이런 생각 뭐 우리 모르니까 사람들이. 그러니까 함부로 이렇게 나무에 가지? 가지를 부수거나, [조사자: 그러면 안 된다.] 예, 예. 그러면 안 된다. 버섯도 이렇게 발로 차거나, 아니면 동물은 또 해치거나 카면 안 된다고. 그것도 이야기 하나, 하나는.

아, 뭐라케야 되나? 사냥꾼? (웃음)

(잠시 다른 이야기로 구연 중단됨)

어떤 사냥꾼이 이제 숲에 갔는데, 그러니까 이제 곰이 나타났어요. 그 곰은

'아, 잘 됐다.'

싶어서

'곰 가죽은 팔고, 곰 고기는 우리 가족이랑 먹으면 되겠다.'

싶었는데. 이제 죽일라고 했어요. 총 쏠라고 하는데, 갑자기 옆에 이제 곰 새끼 세 마리가 나타나가지고, 그래가지고

'아, 얘 죽이면 안 되겠다.'

싶어서 그냥 지나갔어요. 지나갔는데, 또 그러다 보니까 어, 늑대 나타나가지고

'아, 늑대를 이제 잡아서 애들한테 가죽으로 신발도 만들어 주고, 고기를 우리 가족이 먹으면 되겠다.'

싶어서 이제 탁 총 쏠라고 하는데, 또 새끼 몇 마리 나타나가지고. 그래

'아, 엄마구나. 이래 카면 안 되겠다.'

싶어서 그래가지고 그냥 지나가는 거야.

그래 지나다 보니까 이것도 못 잡고, 저것도 못 잡고 그냥 어두워졌어요. 그래 어디 있는지 못 봐가지고, 그래서. 그런데 신이, 숲에 있는 신이 그거 다 지켜보고 있었더래. 그래서 이제 이렇게 사냥하러 갔는데, 자기 가족도 아빠 와서 뭐 동물 가죽이나 왜 동물이 오는 거 기다리고 있지만 이렇게 새끼 있는 동물은 안 해쳤다. 안 해쳤으니까

'아, 이 참 사람이 좋다.'

신이 생각해서, 그래서 이 사람한테는, 신이니까 집을 만들어 줬대. 그러니까 자기 몸을 머물러서 이제 아침이 되면 다시 갈 수 있게끔 집을 만들어 줬대. 집에는 음식도 이렇게 책상, 밥상 위에 이렇게 채려(차려) 주고. 또 이불도 주고 그랬었대요. 그래가지고 그 사냥꾼이 들어와서 깜짝 놀래가지고 들어가서 밥도 먹고, (웃으며) 그래 잠도 자고. 그래 따뜻하게 있다가 아침이 돼가지고 또 해가 되서, 떠서 자기가 나가서 이제 집을 찾았대.

동물은 잡았는지 안 잡았는지 그 이야기는 안 나와 있지만. 그런데 숲에 사는 신이 굉장히 좀 아주 고마운 줄 안다 케야 되나요? 어, 그러니까 잘 하면은 자기도 잘 하고. 좀 함부로 하면은 이렇게 불태우거나, 뭐 아니면 나무를 어디든지 자르면 자기 일부러 길을 잃게 하고. 아니면 신이니까 동물, 그 숲에 있는 동물들이 전부다 자기 키우는 동물이래. 그래서 일부러 사나운 늑대나 곰들 이렇게 보내서 이 사람을 해치기도 하고 뭐 그랬었어,

그러니까 이제 우리나라 숲 굉장히 많아요. 그러니까

'나무 자르거나, 동물은 좀 막 죽이거나 이카면 안 된다.'고.

옛날부터 지금도 좀 숲에, 숲 보는 사람들 그런 거를 믿어요. 아직도. 그러니까 이제 숲 신한테 이제 이런 맛있는 거. 아니면은 술 같은 거 이제 바쳐주고 뭐 그러는 거예요.

물의 신 바디노이와 결혼한 딸

● 구연정보

조사일시 : 2018. 01. 29(월) 오전
조사장소 : 대구광역시 중구 남산동
제 보 자 : 나탈리아 [러시아, 여, 1983년생, 결혼이주 13년차]
조 사 자 : 김정은, 황승업, 강새미

● 구연상황

숲에 가면 〈숲의 신 래쉬〉가 있는 것처럼 호수에 가면 바디노이가 산다며 이야기를 이어갔다. 대구사투리로 유창하게 이야기를 구연했고, 여러 신을 믿으며 자연에게 잘 하던 시절이 있었는데, 현대에는 신이 단일해지면서 문화가 다 비슷해지고 있는 점이 아쉽다는 말을 설화 중간에 하면서 이야기를 이어갔다.

● 줄거리

옛날에 아빠가 전쟁에서 죽어서 엄마와 딸만 살고 있었다. 딸이 엄마하고만 잘 지내며 나이가 많이 들어도 결혼을 안 하자 엄마가 바디노이한테라도 시집가버리라고 했다. 다음날 잘생긴 총각이 찾아와서 결혼을 시키게 됐다. 한참동안 딸의 소식을 알 수 없던 엄마가 울면서 호수에 갔더니 거기 사위가 있었다. 사위는 장모를 물속으로 데려가서 딸을 만나게 했는데, 벌써 손자까지 있었다. 다시 물밖으로 나온 엄마는 딸이 바디노이와 잘 살고 있다고 했다. 어느 날 어부들이 고기를 잡는데 그물에 아기가 걸려 나왔다. 어부들이 아기를 데리고 와서 키웠는데, 그날 이후로 물고기가 한 마리도 잡히지 않았다. 엄마가 어부의 집을 지나가다 손자를 발견하고 물로 돌려보내자 다시 고기가 잘 잡히게 되었다. 지금도 러시아에서는 고기가 잡히지 않으면 좋은 음식과 옷을 그물에 담아서 바디노이에게 바친다.

대부분 이야기 어떤 거냐면은 바디노이Вода бог한테는 잘하면은, 나중에 낚시하러 가면은, 바디노이는 이렇게 생선 많이 잡히게 하고. [조사자: 아 또 그렇게 해주는구나.] 네. 그러니까 물은 드럽히게 하고 뭐, 예를 들어 뭐, 요즘처럼 술 마시다가 병 던지거나 뭐 담배 꼭지 그런 거는 던지면 더러워지잖아요. 그죠? 그러니까 그때는 바디노이가 이거 그물을 이리 다 웅크리게 하고, 아니면 구멍 내거나 이렇게 한다고. 아니면 생선은 다 썩은 생선을. [조사자: 썩은 생선을 준다고요?] 예, 그렇게 한다고.

그래서 옛날 사람들 굉장히 물 뭐 숲 이런 데는 [조사자: 되게 조심하고 깨끗하게.] 잘 깨끗하게 잘하고. 그리고 신을 많이 믿으니까 이런 신한테는 잘 하면서 되게 좀 풍습이 있었잖아요. 요즘 사람들이 자기 가족한테만 잘 할라카지. (웃으며) 그래 좀 문화가 심심해지는 거야. 그리고 나라마다 비슷해지는 거예요. [조사자: 네, 그렇겠죠. 이렇게 자연한테 잘하던 시절이 있었는데.] 응, 응, 응.

그러니까 이제 바디노이는 그 그 뭐야, 어떤 집에 딸이, 인제 엄마가 딸 키우는 가족이 있었어요. 아빠가 일찍이 이제 전쟁 가서 돌아가시고 인제 딸하고 엄마는 살았는데. 근데 이 딸이 아버지 없어서 그런지 대게 좀 이렇게 왜 어디 나가서 놀기도 안 하고, 놀지도 안 하고 맨날 엄마 옆에서 음식도 해주고, 댁의 칠도 해주고 뭐 엄마한테 착하게도 해주고 그랬었거든. 그런데 엄마가 이제 늙어가지고. 어 예쁘기도 예뻤어요. 그래가지고 어디 안 가니까 남자친구 없는 거예요. 그래 엄마가 걱정이 되는 거야. 늙어도 혹시 혼자 남을까 봐. 그러고 인제 할머니가, 엄마가 할매가 되었으니까 손자도 보고 싶고 [조사자: 아 그렇죠.] 그랬잖아요. 지금도 그런데. 그래서 딸보고

"시집 좀 가라."고.

그래 딸은

"아니 엄마야. 그냥 옆에 있으면 돼."

그래 계속 시간이 가고 딸은 계속 시집 안가니까 엄마가

"바디노이한테라도 시집 좀 가거라. 정말."

좀 그랬다고 하면서.

그래 어느 날에 아주 잘생긴 총각이 나타나는 거야. 그래가지고

"이 예쁜 색시랑 결혼하고 싶다."고.

그랬더니 엄마가 너무 기뻐해가지고, 그런 사람이 나타나서. 그러니까 어떤 사람인지 어디에 왔는지 물어보지도 않고 그냥 시집을 보내 버렸어요. 그래서 이제 왜 결혼식 다하고 둘이서 이제 신부는 신랑은 이제 말마차 타고 인제 가버리는 거예요.

가버리고 그 할머니는 하루도 기다리고, 이틀도 기다리고, 뭐 한 달, 뭐 일 년 기다려도 이제 안 나타나는 거예요. 딸이 돌아오지 않는 거야. 그래서 요리저리 인제 가서 물어봤는데. 어 누구 보지도 않고 그냥 마차 지나가는 거 봤는데, 어디로 갔는지 본 사람이 없었어요. 그래가지고 이제 찾다가, 찾다가 호숫가에 이제 가까이 왔는 거야. 호수 그, [조사자: 한번 가봤으니까.] 어. 그 호숫가에 왔는데, 이제 앉아서 막 계속 울고 있는 거야. 막 울고 있으니까 그 총각이 나타나, 어 나타났어. 그래가지고

"어머니, 왜 이렇게 우시냐?"고.

그래

"그때는 가서 우리 딸을 데리고 갔는데, 어디로 데리고 갔냐?"고.

그러면서 그래,

"우리 잘고 있다. 걱정마라."고.

그래

"보고 싶어서 못 살겠다."고.

그래가지고 할머니를 모시고 이제 갔는데, 계속 하루 종일 갔는데, 할머니는 다리도 아프시고 이제 어두워질라 카니까, 그러니까 자기도 정신없이 어떻게 돼가지고 그 뭐야, 호수 안에 들어가 버리는 거야. 들어가니까 그 이제 딸도 만나고, 딸이 인제 손자 낳는 것도 보고 그러니까 이제 같이 지냈다가. 근데 바다 속이니까, 어 그 호수. 그러니까 물속이니까 사람이, 인제 할머니는 살기가 오래는 힘들고 그래서 조금 인제 딸 잘 지내는 거 보고, 손자도 안아 보고 그냥 다시 집에 가겠다고 해서 그 총각은, 아 총각 아니지. 이제 신랑은, 자기 사위가 할머니를 집까지 데려다 줬다. 그래가지고 할머니는 돌아

와서 이제 마을 사람들한테

"우리 딸이 가서 이렇게 바디노이랑 같이 지내고, 손자도 뭐. 그리고 거 있다."

그래 있다가, 그래가지고 어느 날에 어부들이, 그 마을의 어부들이 그 뭐지? 낚시 나갔다가 그물에 아기를 잡히는 거야. 그래가지고

"어? 아기가 어떻게 떨어졌나? 그 물속에로."

그래가지고 집에, 자기 집에 가지고 가서 키우기 시작 했는 거예요. 그래 애가 말도 못하고 계속 울기만 했었어요. 그래가지고 그 자기의 뭐 집에 이렇게 아기를 맡겨 놓고, 나머지 사람들이랑 다시 호수, 호수 크거든. 아주 바다처럼. 그랬었는데, 다시 배에 나가서 뭐 생선 아무리 잡아도 못 잡히는 거야. 한 마리도 안 잡히는 거예요. 그래

'뭔 일이고?'

그래요. 그래가지고 그 할머니가 가서 어떻게 이 아기를 보게 되었어요. 그래

"어, 이거는 우리 손자잖아. 그런데 니 여기 어떻게 혼자 있어? 아, 엄마 어디 있냐? 아빠는 어디 있냐?"

그래가지고 애가 울기만 울고, 작으니까. 그래가지고 그 할머니가 이 어부들하고 이제 마을 사람들한테 이야기 인제 했었어. 했어.

"우리 딸이 바디노이한테 시집가서 아기 놓았는데, 야가 우리 손자다. 다시 보내줘야 된다."

그래 보내줬더니, 보내줬더니 이제 그 뭐야, 다시 생선을 아주 많이 잡히게 되고, 그 마을이 아주 부자 마을이 되었어. (웃음) 이런 이야기예요.

[조사자: 너무 재밌어요.] 그러니까 인제 이렇게 지금도 그런 거 있다 하던데, 옛날에도 인제 이렇게 생선이 잘 안 잡히거나, 뭐 그물은 꼬이거나 이렇게 하면은 어부들이 인제 그 바다나 뭐 어디 그 생선 잡는 장소에는 그물에다가 뭐 이렇게 고기라든지, 저기 자기 집에 뭐 꿀, 꿀이나 이렇게 좋은 거 있으면. 아니면 무슨 좋은 옷이나 이런 거 이제 담아서, 그물에 담아서 이렇게 바다에, 아니면 강에나 이렇게 주는 거야. 바디노이한테 이제 선물 주는 거야.

'내가 이거 줄 테니까, 생선 좀 보내 줘.'

[조사자: 그렇게.] 어, 그렇게 했었어요. 지금도 그런 거 있다 카더라고요.

나쁜 형 착한 동생과 집의 신 다마보이

● 구연정보

조사일시 : 2018. 01. 29(월) 오전
조사장소 : 대구광역시 중구 남산동
제 보 자 : 나탈리아 [러시아, 여, 1983년생, 결혼이주 13년차]
조 사 자 : 김정은, 황승업, 강새미

● 구연상황

제보자가 러시아의 신들에 대해 설명을 한 뒤에 조사자가 각 신에 대한 이야기를 하나씩 부탁하자 먼저 집의 신인 다마보이에 얽힌 설화를 구술했다. 유창한 대구 사투리로 이야기를 구술했다.

● 줄거리

옛날에 한 집에 두 형제가 살았는데 형이 결혼하자 그 아내가 시동생을 구박했다. 밥을 많이 먹는다, 옷을 자주 빤다는 등의 구박을 듣다 못한 동생은 못 참고서 집을 나갔다. 원래 형제가 함께 살던 집은 부모님이 물려준 곳으로 집도 좋고 가축도 많았는데, 동생이 집을 나간 뒤로 가축들이 죽고 아이들이 병들었으며 비가 새기도 했다. 동생이 집에서 쫓겨나다시피 나가자 화가 난 집의 신 다마보이가 그렇게 만든 것이었다. 그래서 옛날부터 러시아 사람들은 가정의 화목을 위해 다마보이에게 달콤한 것을 만들어 바쳤고, 이사갈 때에도 다마보이에게 인사하는 의식을 행한다. 그리고 다마보이는 고양이와 친하기 때문에 러시아 사람들은 고양이를 잘 대해 준다.

옛날에 어떤 집에 형제가 둘이 살았어요. 그래 형이 결혼하게 되었어요. 그 결혼한 와이프가 너무 욕심 많고 아주 좀, 뭐라케야 되나? 안 좋은 여자였어요. 역시 그 놀부와 [조사자: 놀부 처 같구나?] 그 비슷한 거예요.

그러니까 위에 형님이 결혼해가지고 여자가 안 좋은데. 그래서 남동생 보고, 이제 시동생이죠? 그죠? [조사자: 네.] 시동생 보고,

"밥도 많이 먹는다."

"옷도 자주 빤다."

뭐 예를 들어 그죠?

"일도 적게 한다."

"밥을 너무 먹고."

뭐 이래 카다가 이 동생이 참다못해서 이제 다른 집에 갔어요. 그러니까 다른 집에 어떻게 가냐면은 이제 집에서 나가서 자기 집을 만들어서 이제 그렇게 살게 되었어요. 그런데 살던 집은 원래 부모님 집이었었잖아요. 그래 되게 동물도 많았고, 집이 튼튼하고 좋았었는데. 이 동생이 나가자마자 이 집 안에는 죽기 하고, 닭도 매일매일 죽고, 소도 막 죽었고. 그 옛날에는 소 있어야 밭도 이렇게 하죠. 농사도 짓고 그랬는데. 그 동물 죽다가 나중에는 그 집에 애들도 아프게 되고. 그래 나중에 또 비가 오면은 집이 새기도 되고 그랬었어요.

그러니까 이제 나중에 알고 보니까 이 다마보이домовой가 그렇게 만들었다고. 어, 그러니까 사이좋게 형제가 지냈는데, 이렇게 안 좋은 일로 동생이 결혼하는 것도 아닌데. 안 좋은 일로 이렇게 동생이 나갔으니까 이 집 다마보이가 화나서, 자기 기분이 나쁘니까 또 그렇게 되었다고.

그러니까 옛날부터 이렇게 이제 집에 무조건 사이좋게 지내고, 좋은 거 하고. 그리고 혹시 음, 뭐라케야 되노? 좀 안 좋은 일이 생기잖아요? 뭐 이리 누구나 많이 아프거나, 애들이 왜 겨울 되면은 아프잖아요? [조사자: 네, 많이 아프죠.] 그런데 이제 기운이 떨어져서 아픈 거 생각 안 하고,

'다마보이가 뭔가 심심하다. 그래서 심심풀이로 인제 애들 나쁘게 한다.'

그래서 일부로 맛있는 거 만들고 다마보이한테 이렇게 대접해줬어요. 지금은 그런 거는 없지만.

대접했는데, 어떤 거 이제 사탕. 아니면 달콤한 빵 같은 거 만들

어. 달콤한 좋아했어요. 그래 어디에 했냐면은 우리는 온돌식 말고, 러시아 전통집 '이즈바изба'거든. 이즈바. [조사자: 아. 이즈바.] 이즈바음 이제 아궁이 있었어요. 아궁이 불 놓고 그래가지고 이렇게, 불은 이제 이렇게 따뜻하게 온 집은 했었어요. 했어요. 그러니까 이제 아궁이 속으로 이렇게 놨두는 거예요.

그래가지고 또 그런 거 이제, 이 집에 살다가 다른 집에 가잖아요, 예를 들어. 그러면 어디 이런 다마보이 인제 가져 갈 뭐 이런 박스나, 아궁이한테 가서 이제

"여기 들어 와."

[조사자: 아, 그렇게 말을 하는구나.] 그러면 이제 가지고 새 집에 가서 그 새 집에 있는 아궁이에,

"자, 들어가!"

그런 거 했었죠. (웃음) 그래 우리 할매가 맨날 그랬었다고. 그래가지고 그 다마보이가 고양이랑 되게 좀 친했어. [조사자: 고양이하고도 친해요?] 응. 고양이랑 되게 친했는데. 원래 고양이들 귀신 보면은 왜 귀신들이 도망가거나 그랬잖아요. [조사자: 아, 러시아도 그러는구나.] 어, 러시아는 또 고양이가 다마보이랑 친하고 지내고 그랬는데. 그러니까 집에 고양이가 뭐 쓸데없이 왔다갔다 뭐 했거나, 뭐 아프거나, 긁거나 이카면은,

'다마보이랑 싸운다.'고.

그래서 고양이한테는 잘하면 돼. 고양이한테 잘하다 보면은 이 다마보이한테도 이렇게 잘하는 것처럼 되는 거야. [조사자: 아, 그렇게 얘기하는구나.] 그래서 지금도 집마다 고양이 한 마리, 두 마리씩 다 계속 키웠어요. 그래가지고 종류도 굉장히 많고.

전쟁 예고로 사람들을 지킨 도모보이 신

● **구연정보**

조사일시 : 2017. 01. 05(목) 밤
조사장소 : 부산 사상구 주례동
제 보 자 : 안나가르캅축 [러시아, 여, 1993년생, 유학 3년차]
조 사 자 : 조홍윤, 황승업, 김자혜

● **구연상황**

제보자가 재학 중인 동서대학교 인근 카페에서 조사를 진행했다. 제보자는 사전 연락을 받고 이야기를 준비했다며 도모보이(다마보이)에 대해 설명했다. 도모보이는 난로나 창고 등 사람들의 눈에 띄지 않는 곳에 살면서 불행을 예고하거나 집을 지키는 등 가택 수호신적 성격을 지닌 존재라고 한다. 제보자는 이야기의 세세한 부분까지 잘 구연했으며, 한국어 발음과 표현도 매우 훌륭했다.

● **줄거리**

옛날에 한 아이가 잠을 자다가 이상한 소리에 깨어 밖에 나가보니 난쟁이들이 하늘을 보며 울고 있었다. 아이가 하늘을 보니 아버지가 가슴에 활을 맞은 모습이 보였다. 다음 날 아이가 어머니와 마을 사람들에게 이 이야기를 하자 사람들은 다마보이의 경고로 여기고 전투를 준비했다. 다음 날 서쪽에서 한 무리가 나타나 마을을 침략했으나, 마을 사람들이 미리 준비한 덕분에 막아낼 수 있었다. 예전에는 다마보이가 집을 지키는 신으로 모셔졌는데, 오늘날은 신격이 옅어져 장난꾸러기 요정처럼 인식되고 있다. 러시아 사람들은 집에서 물건이 없어지면 다마보이가 화가 나서 훔쳐갔다고 생각하며, 다마보이를 달래기 위해 음식을 놓아 둔다.

저는 도모보이Domovoï라는 집 요정에 대한 이야기를 말씀드리고 싶어요. [조사자 1: 도모보이?] 도모보이. 그러니까 집에서 사는 사람이라는 뜻이에요, 러시아 말로. 그 얘기를 어렸을 때도 많이 들었고, 그 신화나 동래만화(전래동화) 같은 데서 많이 나왔던 이야기예요. 원래는 러시아 사람들이 기독교 전에 미신을 믿었었어요. [조사자 1: 민간신앙?] 네. 그때 시대에 나왔던 이야기예요.

어떤 아이가 자고 있었어요. 그런데 갑자기 얇은 울음 목소리를 듣게 됐어요. [조사자 1: 울음소리를 듣게 됐어요?] 울음소리를 듣게 됐어요. 아이가 난로에서 자고 있었는데, 보니까 여동생도 자고 있고 부모님도 자고 있었어요. 그런데 이 아이가

'어? 무슨 소리지? 무슨 소리지?'

고민하다가 베개를 돌려서 보고(봤는데) 아무도 없었고, 집안을 보고(봐도) 아무도 없었어요. 그래서 아이가 천천히 난로에서 내려가면서 밖으로 나갔어요. 그랬더니 거기에서 어떤 난쟁이 아저씨들을, 난쟁이 남자들을 보게 되었어요. 그 남자들은 서로를 위로해주면서 울고 있었어요. 그런데 아이가 되게 깜짝 놀랐어요. 왜냐하면 그런 사람을 본 적이 없어서. 그런데 그 남자들은 울면서 하늘을 바라보고 있었어요. 아이도 고개를 올려서 보니까 거기에 말을 타고 있는 자기 아버지 모습을 보게 됐어요. 그런데 아이가 되게 신기해서 또 자세히 보니까 그 아버지 가슴속에 화가 있었어요. 누군가가 아버지를. [조사자 1: 화를 내고 있어요?] 화를 아니라 [조사자 2: 활?] 화살. 화살이 아버지 가슴 속에 있었어요. 그래서 아이가 너무 놀라서 그 자리에서 기절을 했어요. 그랬더니 아침에 어머니가 소의 젖을 짜기 위해서 밖으로 나갔더니 아이를 발견했고, 아이를 깨웠어요. 아이가 울면서 엄마한테,

"우유 좀 줘."

라고 하면서 자기가 봤던 이야기를 어머님께 이야기 해 줬어요.

"자기 아버지를 봤다."고.

그랬더니 그 시간에 그 마을주민들이 계속 모이기 시작했어요. 그래서 그 아이의 이야기를 들어보고

“아! 그건 도모보이였구나. 도모보이가 우리에게 아주 중요한 신호를 줬기 때문에 그것을 무조건 진지하게 받아들여야 되고 무시하면 안 된다.”

라고 해서 그 순간부터 싸움 준비를 하게 됐어요.

그래서 이제 싸움 준비를 하면서 기다리고 있었죠. 어떤 일이 벌어질까 봐. 근데 그 순간에 서쪽에서 어떤 사람들이 오기 시작했어요, 공격하러. 근데 그 사람들이 마을주민들이 다 자고 있을 거라고 생각을 했는데, 주민들의 준비한 모습을 보고 되게 깜짝 놀랐고. 그리고 싸움이 벌어졌는데, 그 싸움에서 마을 사람들이 이겼어요. 근데 그 아이의 아버지가 그래도 좀 다쳤어요. 다쳤는데, 그 아이에게 그렇게 말했대요.

“너가 도모보이를 본 걸 이야기를 안 해줬으면 우린 다 죽었을 거다. 그래서 너한테 되게 고맙다.”

그런 옛날이야기가 있어요.

[조사자 1: 할머니 할아버지들이 “도모보이라는 게 있어.”라고 많을 해주세요?] 네. 맞아요. 그리고 아이가 잘못을 했거나 못되게 굴면,

“넌 도모보이한테 잡혀 간다. 도모보이가 너한테 벌을 줄 거다.”

라고 얘기를 했었어요. [조사자 1: 무슨 일이 있을 때 그렇게 징조도 보여주고 나쁜 일하면 막 잡아가기도 하고 그래요?] 네. 맞아요. 근데 원래 뜻은 그런 게 있어요. 도모보이가 집을 지켜주는 사람이에요. 그래서 만약에 집이 부서지거나 깨끗하지 않으면 사람의 꿈속에 나와서 막 (청소를) 하라고, 하라고 그랬대요. [조사자 1: 집 지키는 신 같은 거구나? 수호신?] 네. 그리고 도모보이가 사는 곳이 주로 난로 구석이에요. 아니면 창고실이에요. 사람들이 쉽게 들어갈 수 없는 그런 곳. 그런 곳에서. [조사자 1: 난로나 창고가 집에서 제일 중요하잖아요.] 네. 맞아요. 특히 러시아에서 집마다 가면 난로가 있어요, 아직도.

그런데 지금 현재 시대에는 도모보이가 그런 뜻을 가지고 있어요. 예를 들어서 열쇠가 없어지거나 제가 필요한 물건이 없어지면,

‘아! 도모보이가 가져갔구나! 화를 냈구나!’

생각을 하고.

옛날에 사람들이 도모보이한테 우유를 갖다 준다고 하면, 현대 시대에는 보드카랑. 보트카, 러시아 술. 그거랑 빵, 예전에는 우유였는데, 현재 시대에는 보드카랑 빵 한 조각을 갖다 놔요.

악룡과 싸운 영웅 다브린야 니케치치

● **구연정보**

조사일시 : 2017. 01. 05(목) 밤
조사장소 : 부산 사상구 주례동
제 보 자 : 안나가르캅축 [러시아, 여, 1993년생, 유학 3년차]
조 사 자 : 조홍윤, 황승업, 김자혜

● **구연상황**

제보자는 러시아의 영웅 알로샤 파포비치와 일리야 무로메츠에 대한 이야기를 구연하다가 기억이 나지 않아 마무리하지 못한 뒤, 다브린야 니케치치와 악룡 즈메이 까르네시가 싸운 이야기를 들려주었다. 알려진 명칭과 제보자의 발음이 다른 경우에는 제보자 발음대로 기록했다.

● **줄거리**

엄청난 능력을 가진 다브린야는 위대한 일을 하고 싶다는 열망을 가지고 집을 떠나 길을 가던 중, 우연히 악룡 즈메이 까르네시와 싸우게 되었다. 그는 불을 뿜는 즈메이 까르네시를 피해 물속에 들어갔다가 나와 모래를 뿌리고, 즈메이 까르네시가 앞을 못 보게 된 틈에 도망갔다. 즈메이 까르네시는 화가 나서 다브린야가 사는 도시로 날아가 왕의 조카를 납치했다. 왕은 다브린야를 찾아서 조카를 구해 달라 부탁했다. 이에 다브린야는 왕의 조카를 구하기 위해 즈메이 까르네시와 싸우게 됐다. 싸움이 3일 밤낮 동안 이어지면서 그만 포기하려고 하던 순간, 세 시간만 더 싸우면 이길 것 같은 생각이 들어 그대로 세 시간을 더 싸운 후 이기게 되었다.

즈메이 까르네시Zmey Karnesi랑 많은 사람들이 싸웠는데, 그중에 세 명 중에 한 명이 다브린야Dobrynya Nikitich라는 사람이 있었어요. 그런데 그 사람이 엄마랑 혼자 살고 있었대요.

근데 자기가 힘이 너무 크다고 느껴졌을 때, 무슨 일을 하고 싶어서 산 밖으로 나갔대요. 산으로 갔어요. 이제 자기가 어떤 위대한 행동을 하고 싶어서 산으로 올라갔는데 너무 지쳐서 물을 찾기 시작했어요. 목이 말라서. 그랬더니 어떤 작은 강을 찾아서 옷을 다 벗고 물속으로 들어갔어요. 그런데 그 순간 위에서 즈메이 까르네시가 오기 시작했어요.

다브린야는 어떻게 살아야 될지 몰라서 일단 물속으로 들어갔어요. 그런데 그때는 즈메이 까르네시는 입에서 불을 뿜으면서 다브린야를 죽이려고 했는데 안됐어요. 그래서 다브린야는 다시 물에서 나와서 옷에다가 모래를 담아서 즈메이 까르네시한테 뿌렸어요. 그랬더니 즈메이 까르네시는 눈이 안 보이기 시작했어요. 그래서 눈을 잃었어요. [조사자 2: 아, 앞이 안 보여요?] 네, 앞이 잘 안 보이게 됐어요. 그래서 빨리 자기 옷을 챙겨서 도망갔어요. 어떻게 살아야 할지 몰랐어요.

그런데 즈메이 까르네시는 너무 화가 나서 다시 다브린야가 사는 도시로 가서 왕의 조카를 훔쳐서 갔어요. 그래서 왕이 너무 슬퍼하면서 다브린야를 다시 불러오게 시켰어요. 그래서 다브린야가 모든 이야기를 했고, 그랬더니 왕이,

"다시 자기 조카를 살려달라."

고 했어요. 그래서 다브린야는 칼을 들고 다시 산으로 올라갔는데 거기는 즈메이 까르네시가 없었어요. 그래서 다브린야는 되게 지혜로운 사람이었고, 생각이 되게 많았었대요. 그래서 다브린야는 즈메이 까르네시의 알을 깼어요. 알에 있는 작은 뱀? 그 알을 깼고, 기다리게 됐어요. 근데 즈메이 까르네시가 온 순간 그 칼을 들고 싸움이 벌어졌어요.

그 싸움이 한 삼 일 동안 이어졌는데, 그때 다브린야는 포기하고 싶었어요. 왜냐하면 이길 수 없기 때문에. 그런데 그 순간 머릿속에

'아, 딱 세 시간만 더 싸우면 이길 수 있다.'

라고 생각을 했대요. 그래서 딱 세 시간만 싸우고 나서 즈메이 까르네시 머리를 잘랐고 조카를 살렸대요.

[조사자 1: 머릿속에 그냥 자기가 혼자 '더 싸우면 이길 수 있겠다'라고 생각한 거예요?] 예를 들어서 그리스 신화에 헤라클레스? 그런 사람들이 있으면 러시아에서 그 세 명, 그 위대한 힘을 가진 세 명을 생각해요. 알로샤Alyosha Popovich랑 다브린야랑 일리야Ilya Muromets. 그 사람들은 되게 유명한 그림이 있어요.

뼈 괴물 카시 비스미야르트니를 죽이는 법

● 구연정보

조사일시 : 2018. 10. 11(목) 오후
조사장소 : 경기도 오산시 은계동
제 보 자 : 김알라 [러시아(고려인3세), 여, 1977년생, 결혼이주 5년차]
조 사 자 : 김정은, 강새미, 엄희수

● 구연상황

일본의 치카코 제보자가 〈두루미 아내〉 구연을 마친 뒤 조사자가 김알라 제보자에게 이야기를 청하자 준비해 온 이야기를 시작했다. 처음에는 간단한 특징을 나열하는 식으로 구술해서 조사자가 다시 완결된 이야기로 해달라고 부탁하자, 제보자가 이야기가 떠오른 듯 다시 찾아보았다. 치카코 제보자가 청자로 참여했다.

● 줄거리

해골처럼 마른 불사의 뼈 괴물인 카시 비스미야르트니가 있었는데 원래는 왕자였다. 카시 비스미야르트니는 마법으로 다른 사람을 부릴 수 있다. 한 나라 전체를 돌로 만들 수도 있고, 사람을 땅콩이나 뱀으로 변신시킬 수도 있다. 그리고 자신은 까마귀 같은 새로 변신할 수 있다. 그는 예쁜 여자들을 납치해서 땅속 왕국에서 사는데, 이 사람을 죽일 수 있는 것은 바늘이다. 바늘은 계란에 숨겨져 있고, 계란은 오리에게 있으며, 오리는 토끼에게, 토끼는 상자에 있다. 상자는 나무에 있고, 나무는 어떤 외딴 섬에 있다.

카시 비스미야르트니кости бессмертный*, 어쩔 때는 고시 비스미야르트니. 비스미야르트니. 이름은 카시, 고시 아니면 카시. 두 가지 있

* 해골과 같은 모습을 하고 있는 불사의 괴물이다.

어요. 비슷해요, 똑같은 괴물. 비스미야르트니. 그 미닝meaning, 뜻, 그러니까 죽을 수 없는. 죽을 수 없는. 비스, 위드아웃without. 스미야르트, 다이die. 그러니까 죽을 수 없는 카시.

그러니까 옛날부터 그건 어떤 나쁜 괴물? 괴물도 아니고 사람도 아니고. 근데 보통 되게 마르고 뼈도 나오고 아니면 아예 뼈만. 주인공으로 뭐 어디 만화에서 책에서 나오면 뼈만. [조사자 1: 뼈만 나와요? 해골만 나오는구나.] 해골이랑 뼈 그거만 나와요. 살 없어요. 그런 모습으로 나오구요.

그때 얘기 드렸죠? 그냥 죽을 수 없는 건데. 그래서 자기 죽음은 바늘 끝에 있어요. 그 바늘은 계란에서 있어요. 계란, 닭, 오리. 오리에서 있고요. 오리는 토끼에서 있고, 토끼는 그 무슨 상자, 상자에서 있고요. 그 상자가 나무 밑에, 나무 밑에 있고, 그 나무는 어떤 아일랜드island에 있어요. 그러니까 혹시 죽이고 싶으면은 바늘을 부러뜨려야 해요. [조사자 1: 부러뜨리면 이 괴물은 죽을 수도 있어요?] 그때는 죽을 수 있어요.

그래서 그 원래는 왕자예요. 왕자인데, 그리고 마녀. 남자면은 마남? 여자는 마녀, 남자는 마남? 그러니까 남자 마녀. 그러니까 어쩔 때는, 그 뭐지? 말 타고, 말 타고 나타나요. 말은 사람 말로 말할 수 있어요. 그리고 무슨 마술? 마법사 말. 그리고 자주 어떤 얘기 나오냐면은, 어떤 공주님, 아니면 신부를 납치한 주인공이에요. [조사자 1: 원래는 왕자였는데?] 네. 되게 착하지 않은? 그리고 러시아에서 나오고, 동화책에서. 그리고 체코, 체코에서도 나와요. 체코 책에서도 나오고, 그리고 폴란드, 폴란드에서도 나오고요. 거기 조금은 모양은 다르지만 그 주인공이에요. 그리고 처음에는 십팔 세기에서 그때부터 나왔어요. 다르게 이름은 가라춤. 이름도 달랐어요. 그러니까 보통 어떤 예쁜 아가씨들 납치하고, 납치해서. 또는 전래동화에서 많이 나와요.

그리고 왕자는 어떤 나라 왕자, 땅 밑에 땅속에 있는 나라? 거기 언더그라운드 컨트리underground country. 거기서의 왕자예요. 그리고 보통 전래동화에서 나오면은 반대쪽에는 자꾸 싸우는 주인공은 이반 짜레비치царевич. 이반. 이반 왕자님? 짜레비치. 이반 왕자님이랑 짝꿍.

그러니까 마지막에 항상 이반 짜레비치 이겨요. 또는 되게 힘세요. 그 쇠, 이건데, 좀 쇠로 두꺼운 거 있잖아요. 그거 뭐죠? [조사자 2: 체인?] 체인. 한국어로도 체인이에요? [조사자 1: 사슬.] 사슬. 그러니까 그거 두꺼운 거 막 그냥 이렇게 뭐 찢을 수 있다고. 되게 힘세고. 또는 마술 같은 것도, 마법 같은 것도 알고. 통째로 이렇게 어떤 나라를 돌로 만들 수 있고요. 돌로 변해, 만들 수 있고. 아니면 어떤 사람을 낫nut? 낫으로. 낫? 넛츠(땅콩) 같은 거. 그걸로 만들 수 있어요, 사람을. 또 아니면 어떤 공주를 뱀으로 변하게 할 수도 있고. 그리고 자기가 까마귀? 검정색 있잖아요. 그래서 그런 새로 변해질 수 있어요. 또 뭐, 더 여러 가지.

원래는 카시 무슨 뜻이냐면은, 카시 러시아말로는 코시제кости, 뼈. 뼈다귀, 가시. 그러니까 아주 마르고, 아주 아니면 아예 그냥 뼈밖에 없다. 그런 모양이에요. 걸어갈 수 있는 뼈, 뼈다귀. 그런 뜻이고요. 또는, 뭐 여러 가지 있지만, 너무 많아요. 아무튼 쉽게 죽을 수도 없고.

바바야가를 찾아서 죽이는 법

● 구연정보

조사일시 : 2018. 01. 29(월) 오전

조사장소 : 대구광역시 중구 남산동

제 보 자 : 나탈리아 [러시아, 여, 1983년생, 결혼이주 13년차]

조 사 자 : 김정은, 황승업, 강새미

● 구연상황

제보자가 밭의 신을 깨우는 풍습에 대해 이야기한 뒤에 조사자가 다시 설화 구연을 청하자, 한국에 잘 알려지지 않은 이야기를 하고 싶다며 구연을 시작했다.

● 줄거리

옛날 어느 마을에 가족이 살았는데, 둘째 아들이 개구쟁이였다. 아들은 조심하라는 엄마 말을 듣지 않고 숲에서 혼자 놀다가 바바야가에게 잡혀갔다. 그래서 아버지와 형이 둘째를 구하기 위해 떠났다. 아버지는 숲에서 만난 늑대와 토끼, 매, 나무, 할머니를 도와주었고, 그들은 은혜를 갚겠다고 했다. 먼저 할머니가 그들에게 바바야가가 살고 있는 곳과 그를 죽일 수 있는 방법을 알려주었다. 두 사람은 배가 고파 물가에서 낚시를 했는데, 인어가 잡혔다. 아버지는 인어를 살려주면서 물 아래에 있는 알을 갖다 달라고 했다. 그 알에서 기러기가 나와 도망가자 매가 기러기를 잡아 땅으로 떨어뜨렸다. 기러기가 다시 토끼로 변해서 도망가자 늑대가 잡아주었다. 토끼가 가시나무로 변신하자 아버지가 도와준 나무가 나타나 바바야가를 죽일 수 있는 가시가 무엇인지 알려주었다. 그 말대로 가시 하나를 부러뜨리자 바바야가가 죽었다. 그래서 둘은 잡혀간 둘째 아들을 구할 수 있었다.

이제 어떤 마을에 가족이 살았는데, 애가 되게 좀 까불었어요. 까불었는데. 그래서 엄마가

“바바야가 와서 니 가져간다. 가져간다. 이 카더라.”

애가 안 믿어서 허락도 없이 혼자서 숲에 가서 놀고, 강가에 가서 놀고 막 그랬었는데. 그래서 바바야가가 와서 정말 가져가는 거야. 그래 어떤 사람이 봤대.

그래서 그 아기한테는 이제 형아가 있었어요. 그 형아는 아빠랑 그 바바야가 집에 가서 자기 막내아들을 이제 살, 살리겠다고 그 가다가. 가고 있으니까 늑대가, 늑대가 덫에 걸리고 있는 거야. 그 옆에는 이제 늑대 아기들 막 ‘낑낑낑’하고 있는 거야. 그래서 이 아빠가 덫을, 덫을 이렇게 늑대를 빼내가지고 살려주고, 자기 집에 보내줬어요. 그 늑대가

“정말 고맙다. 나중에 도움을 주겠다.”고.

“뭐 니한테 무슨 도움인데. 그냥 가라.”고.

막 갔는데, 가는데 토끼를, 토끼가 막 깊은 굴에 있어가지고, 그래가지고 막 빠져나가지 못하고, 그래서 그 아빠가 또 토끼를 어떻게 해가지고 살려줬어요. 그 굴에서 빼내가지고 보내, 보냈어요. 그래 또 막 가고 있으니까, 어떤 사냥꾼이, 사냥꾼이. 이 뭐야. 이 뭐지? [조사자 2: 활.] 아, 활. 활을 이제 기러기를 쏠라고, 이렇게 한 마리를 쏠라고 이렇게 하고 있는데. 그 아빠가 사냥꾼한테

“하지 마라. 살려 줘라.”고.

그래가지고 그 기러기 그거 봐서 또

“너무 고맙다.”

고 했어. 그래가지고

“다음에 도와주겠다.”고.

그래 약속을 주고 그냥 날라 갔어요. 그래 갔다가, 갔다가 나무, 나무꾼 아저씨들이 나무를 벨라고 도끼를 꺼내고 있었는데. 그거 또

“나무가 그렇게 좋다. 하지 마라.”고.

“하지 마라.”

고 하니까, 또 그 나무를 살렸다. 이렇게 이야기하면 됐는데.

그래 계속 가고 있으니까 어떤 할머니를 만났어요. 할머니가 나무를 많이 이제 등에 업고 막 걸어가고 있으니까 다리도 아파보이고

그래서 도와줬어요. 그래가지고 할머니는

"아이고 정말 고맙다. 다음에 혹시 자기가 도와줄 수 있는 거 있으면 다 말 하라."고.

그래가지고 자기는 다른 거 아니고 할머니가, 그 할머니가 아니고

"바바야가 그 마녀가 우리 아들을 잡아 갔는데, 지금 바바야가 집이 어디 있냐? 혹시 모르냐?"고.

그래 할머니가 이렇게 도와주시는 대신에 바바야가 어디 있는지 이야기 해주고. 또,

"바바야가를 일반 사람이 못 죽인다 카더라."고.

영원히 막 이렇게 헤져도 사는 거야. 살아나는 거야. 그래서 그 할머니가 어떻게 했냐면은 바바야가 죽음의 바늘이 있는데, 이 바늘이 알 안에 있는 거야. 그래 그 알이 무슨 깊은 바다 속에 있는 거야. 그러니까 바바야가 힘도 세고, 마녀니까 막 이렇게. 그러니까 아빠가 자기 아들을 가서 단순하게 데리고 올 수는 없어. 그러니까 처음에는 할머니를, 바바야가를 죽여야 아들을 살려줄 수 있으니까. 그래서 가서 이 계란을 그러니까 찾으려고 했어요.

그러니까 이제 깊은 바다 속에 들어왔는데. 아 그 아빠가 가면서 인어를 또 어떻게 뭐 살려줬어. 그래서 바다에 오니까 깊은 바다 속에 그 계란이 있는데 어떻게 그거 잡겠냐고. 그래서 그 인어가 나타나가지고, 아까 살려준 인어를 나타나가지고. 아, 그래 아들이랑 그때 갔다가 너무 배고파서 생선을 잡을려고 했어요. 그런데 잡았더니 인어가 나타나는 거야. 그래가지고

"좀 살려 주면은 다음에 좋은 일 도와주겠다."고.

그래서 풀어줬어요, 그때는. 그래가지고 인어가 나타나가지고

"그때는 도와줬으니까, 이번에 내가 도와줄게."

그래서 그거를 줬어요. 계란을 줬는데, 계란은 이제 알을, 그 바늘이 알 안에 있으니까, 그래서 계란을 깨가지고 그거 바늘을 잡아 낼라고. 그런데 알에서 바늘이 말고 기러기 나타났어요. 그래서 막 하늘에 훨훨훨 날아 가버렸어. 그래,

"아이고 이제는 영원히 이 바바야가를 정말 못 잡겠다."고.

그래서 갑자기 또 그때, 아 그때는 기러기 말고, 매. 매였어요. [조사자 1: 구해줬던 게.] 응, 구해줬는 거. 그래 매가 나타나가지고 기러기를 잡아가지고, 그 기러기 바다, 바다, 아 바다 아니고 땅에 툭 떨어지면서 토끼로 변신했어. 그래 막 뛰어가고 있는 거였어. 그래

"토끼가 그렇게 빠른데 정말 못 잡겠다."고. (웃음)

그래서 그때는 아까 살려준 늑대가 나타나가지고

"아이고, 네가 나한테 도와 줬으니까, 나도 토끼를 잡아주겠어."

그래 토끼를 잡아줬더니, 그 토끼의, 잡아다 줬더니, 또 토끼의 새가. 아, 새가 아니고 알. 나무? 나무 생겼나? [조사자 1: 뭘로 또 변신해야 되는데 그죠?] 그렇지. 뭐 어떻게 생겼어요. 나무가 생겨가지고, 기억이 안 나요. 하여튼 나무가, 토끼에서 나무가 막 생기는 거예요. 아, 나무가시, 그래 나무가시가 생겨서 이렇게 막 가시 많아가지고.

그래 여기 할아, 바바야가 [조사자 1: 할 수 있는 바늘이.] 바늘이 어디에 도대체 있는지 찾기가 힘들잖아요. 찾기가 힘드니까 그 나무가, 옆에 나무, 아까 살려줬던 나무가 어떻게, 어떻게 해가지고 그 이야기 해줬어.

"어떤 가시가 바바야가 죽일 수 있는 가시야."

그래서 그 이야기를 듣고 그 가시를 부러트렸더니, 바바야가 죽었고. 그 바바야가 집에 가서 그 자기 막내아들을 살리고 행복하게 집에 돌아왔어요.

바바야가의 새에게 잡혀간 동생을 구한 누이 [1]

● **구연정보**

조사일시 : 2016. 11. 19(금) 오후
조사장소 : 서울시 중구 을지로 러시아거리
제 보 자 : 우정부 [러시아, 남, 1941년생, 영주귀국 7년차]
조 사 자 : 조홍윤, 황승업, 김자혜

● **구연상황**

제보자가 〈소원 들어주는 물고기 슈카와 게으른 아들〉을 구연한 뒤 준비한 이야기가 있다며 구술을 시작했다. 제보자는 기러기백조에 대한 이야기라고 했는데, 이때 '구시(гусь)'라고 혼잣말을 했다. 러시아어로 구시는 거위이기에 줄거리에서 기러기백조를 거위백조로 바꾸어 표기했다.

● **줄거리**

늙은 부부가 일하러 나가며 딸에게 어린 남동생을 돌보라고 당부했다. 누이가 마당에 동생을 놔두고 잠시 놀다온 사이 거위백조(기러기백조)가 날아와 동생을 데리고 갔다. 남동생을 찾으러 떠난 누이는 벽난로와 사과나무, 우유가 흐르는 강에게 새가 날아간 방향을 물었다. 누이는 마침내 바바야가의 오두막 앞에서 놀고 있는 동생을 발견했다. 누이가 바바야가에게 잠시 쉬어가기를 청하자 바바야가는 뜨개질을 대신 하라고 하고서 밖으로 나갔다. 누이가 뜨개질을 하고 있는데 쥐가 다가오더니 먹을 것을 달라고 했다. 누이가 먹을 것을 주자, 쥐는 바바야가가 누이를 잡아먹을 것이니 도망가라 했다. 누이가 동생을 데리고 도망쳐 나오자 이를 알게 된 바바야가는 거위백조에게 남매를 쫓게 했다. 그러나 우유 강과, 사과나무, 벽난로가 남매를 숨겨준 덕분에 그들은 무사히 집으로 돌아올 수 있었다.

러시아 옛날 얘긴데, 영감하고 할, 할아버지하고 할머니가 살았어요. 딸하고 조그마한 아들이 있었어요. 그래,

“우리 종일 일하러 갔다 오겠으니까 너 이 조그마한 아들, 동생을 잘 지켜라.”

나갈 때 이렇게 말해요.

“집을 떠나지 마라. 우리 말 잘 들어라.”

그래,

“우리 저 (말을), 머릿속으로 잘 새겨라.”

그래 마당에다가 풀밭에 보자기를 깔아놓고, 거기다가 자기 동생 앉혀 놓고

“너 여기서 놀아라. 나는 조금 이렇게 밖에 나갔다가 놀다 오겠으니까.”

그런데 그 기러기백조 떼가 날아 왔어요. 그 기러기백조 떼가 좀 나쁜 일을 한다는, 나쁜 일을 저지른다는 것을 알아, 알고 있었어요, 그 동네에서.

그래 이 백조가 그 남자, 아 아들을 태우고, 등에 태워놓고 가버렸지요. 날아 가버렸지요. 아무리 와서 찾아봐도 자기 동생이 없단 말입니다. 그래 가만히 보니까 저 멀리 백조가, 기러기들이 날아가는 걸 봤지요. 산 넘어서 그렇게 가는 걸 봤지요.

‘틀림없이, 틀림없이 애를 데리고 갔구나.’

그런데 그 딸이 막 따라가지요. 따라가면서

“내 동생을 내 놓으라.”

그런데 숲을 지나서 가는데 페치카pechka● 서 있어요. 페치카가 서 있어요.

“페치카, 페치카, 백조들이 어디로 날아갔느냐?”

그래 페치카가 대답을 하는데,

“내 이 만든 빵을 먹어, 먹어라.”

그래 그 빵을 안 먹었어요. 안 먹으니까 안 가르쳐 주겠대. 그래 또 다시 또 달려가는데, 계속 달려가는데. 아 여기는 좀 생각이 난다. 사과나무가 서 있어요. 그래

● 페치카는 러시아의 취사 겸용 난방시설로 실내에 설치된 벽난로이다.

"사과나무야, 사과나무야, 이 기러기들이 어디로 날아갔느냐?"

하니까

"사과 하나 좀 맛 봐라."

그러니까 안 봐요.

"우리 아버지한테 더 좋은 맛이, 더 좋은 사과가 있다. 먹을 시간도 없다."

말 안 해줘요.

다시 달려가요. 달려가는데 우유로 된 강이 흘러요. 우유, 우유강. 그래

"어디로 기러기들이 날아갔느냐?"

고 말하니까,

"우유 많이 마셔봐라."

"내 아버지 우유가 더 맛있다. 나는 이런 걸 안 먹는다. 안 먹는다."

하니까 안 가르쳐 줘요.

계속 달려요. 풀밭으로 해서, 산으로 숲으로 해서 가는데 날씨가 이제는 저녁이 돼요. 할 수 없지요 뭐. 그래서 집으로 가야 돼요. 그런데 그 이런 오막살이집이 생겼는데, 닭다리, 오막살이집이. 닭다리의 오막살이집이요. 그런데 그 창문에 하나가 있는데 그 닭다리 집이 돌아요. 도는데, 그 바바야가. 번역 안 해도 괜찮지? (웃음) 바바야가가 딱 앉아 있단 말이야. 바바야가 있는데, 그 의자에 아이(남동생)가 하나 앉아서 은빛 나는 사과를 가지고 장난해요. 이 딸이 거기 들어 가가지고 그 집에, 그 집으로

"할머니, 안녕하세요."

애들, 젊은 애들 보고 뭐라 해요, 할머니? [조사자 1: 아이?] [조사자 3: 아가야?] 아가야?

"아가야, 안녕해? 그래 왜 왔느냐?"

"숲으로 해서, 강으로 해서 이렇게 이슬비 맞으면서 왔는데 젖었어요. 그래 저 말릴 수 있습니까, 옷을?"

"그러면 여기 앉아서 내가 이렇게 뜨개질 하는 거를 네가 뜨개질해라."

그래 바바야가는 나갔어요. 그 아가는 그냥 뜨개질을 하고. 그런데 그 페치카에서 쥐가 나와요. 쥐가 나와서

“아가야, 아가야, 나한테 좀 밥을 줘. 그러면 내 좋은 말 해줄게.”

그래 밥을 줘요. 이 아가가.

그래 바바야가는 반야, 반야 반야, 저 목욕탕 불 떼요. 깨끗하게 좀 목욕하고 나와서

‘그 아가를 삶아서 자기가 먹자. 삶아서 먹는다.’

그렇게 생각하는 거예요. 그래 아가는 막 울지요. 그래 이 쥐가 다시 와요. (러시아어로 중얼거림)

“시간을 끌지 말고 자기 동생, 너 동생 데리고 빨리 도망해. 뜨는 거는 내가 뜰게.”

그래 아가가 자기 동생 같이 데리고 도망해요. 그래 바바야가가 물어봐요.

“너 뜨개질 하고 있느냐?”

“네, 하고 있습니다.”

그런데 누가 대답하느냐 하면은 쥐가 대답해요.

“네, 할머니. 내가 지금 뜨개질하고 있어요.”

그래 바바야가는 불 떼고 그 자기 아가를, 자기 거를 잡아서 먹자. 그런데 집을 떠버립니다. 그래 바바야가가 소리 질러요.

“백조들아, 이 아가하고 이 남자 아이 어디 있는가 찾아 봐라. 찾으러 가라. 도망을 했다.”

그래 아가하고 그 동생은 우유 강까지 왔어요. 우유 강까지 와서 가는데, 백조들이 따라오는 걸 봤단 말입니다. 그래서

“우유 강, 우유 강아. 우유 강아 나를, 우리를 좀 감춰줘.”

하니까

“이 우유를 좀 맛 봐.”

그래 우유를 좀 맛 봤지요. 그 백조들이 옆으로 우유를 지나가면서 못 봤어요. 감춰줬어요. 그래 아가하고 그 남동생하고 또 가는데, 그 백조들이 다시 또 오는데 어떻게 하겠느냐, 그래 걱정했는데.

“사과나무야, 사과나무야. 우리를 다시 좀 감춰줘.”

하니까

“그러면 이 산에서 자라는 야생 사과를 먹어봐라.”

그러니 빨리 먹어 봤지요. 그러니까 사과나무가 감춰줘요. 그러니까 백조들이 다시 못보고 지나가버립니다. 그러니까 아가하고 다시 계속 또 달리지요. 달리고, 달리고 집으로 달리는데, 백조들이 또 다시 따라와요. 그래 페치카한테 왔지요.

“페치카, 페치카. 어머니 페치카야. 우리를 좀 감춰 주세요.”

“그러면 이 검은 빵 좀 먹어봐.”

그래 먹어 봤지요. 먹으니까 페치카 안에 들어가요. 그래 백조들이 지나서 날아가 버렸지요. 그렇게 찾다가 찾다가 못 찾아서 바바야가한테 다시 찾아, 돌아갔지요. 그래 페치카에서 나와서 페치카한테 인사하기를

“감사합니다.”

그래 둘이서 집까지 갔지요. 그런데 집에 오니까 아버지하고 어머니하고 집으로 돌아왔어요. 이걸로 끝나요.

바바야가의 새에게 잡혀간 동생을 구한 누이 [2]

● 구연정보

조사일시 : 2017. 01. 05(목) 밤
조사장소 : 부산 사상구 주례동
제 보 자 : 안나가르캅축 [러시아, 여, 1993년생, 유학 3년차]
조 사 자 : 조홍윤, 황승업, 김자혜

● 구연상황

제보자가 〈지혜로운 소녀 마샤와 어리석은 곰〉을 구연한 뒤 러시아의 대표 민담 중 하나인 〈바바야가의 새에게 잡혀간 동생을 구한 누이〉를 구연했다. 제보자는 소녀가 바바야가에게 납치당한 동생을 구하기 위한 여정을 상세하게 잘 구연했다.

● 줄거리

한 가족이 살고 있었는데, 부모님이 일을 나가면서 누이에게 남동생을 잘 돌보라고 당부했다. 그러나 누이는 밖에서 놀고 돌아왔고, 동생이 없어졌다는 사실을 알게 됐다. 누이는 남동생을 찾기 위해 숲으로 갔는데, 가는 길에 난로, 사과나무, 우유로 된 강을 만났다. 그들은 각각 쿠키와 사과, 우유를 마시면 남동생 찾는 것을 도와준다고 했는데 누이는 모두 거절하고 혼자서 길을 찾아갔다. 결국 누이는 남동생이 잡혀있는 바바야가의 집에 도착했는데 그곳에서 만난 쥐가 누이에게 바바야가가 잡아먹을 것이니 도망치라고 했다. 이에 누이가 남동생을 데리고 도망치자 바바야가가 보낸 거위백조가 쫓아왔다. 여동생은 우유로 된 강에서 우유를 마시고, 사과나무의 사과를 먹고, 난로의 과자를 먹으면서 거위백조를 따돌리고 무사히 집에 올 수 있었다.

이 동화는 〈거위백조〉라는 동화예요. 러시아 말로는 '구스-레베디Гусь-лебедь'. 〈거위백조〉라는 이야기인데요.

한 가족이 살고 있었어요. 아버지, 어머니, 남동생, 여자 아이. 같이 살고 있는데 아침에 어머니 아버지 일을 하러 나갔어요. 그래서 그 여자애에게 이야기를 했죠.

"너는 절대 놀지 말고 남동생을 돌봐주고 있어야 된다. 어디도 가지 말고 집에만 있어라."

그런데 아이가 너무 노는 것이 좋아서 또 집밖으로 나갔어요. 하루 종일 놀다가 집에 들어왔더니 집에 남동생이 없어요. 이제 보니까 하늘에 어떤 거위백조가 있었어요. [조사자 1: 거위랑 백조랑 같이 있었어요?] 같은 동물(하나의 동물)이에요. 거위백조라는 동물이에요. 같이 있는 게 아니라 그냥 그 동물이 거위백조.

그래서 그걸 보고 이제 아이가 남동생을 찾기 위해서 숲속으로 들어갔어요. 이제 가고 있는데, 갑자기 길 가운데 난로, 말하는 난로 한 대가 있었어요. 그래서 그 난로가 여자애에게 이렇게 이야기를 했어요.

"너는 이 과자를 하나 먹고 나면 나는 너의 남동생이 어디로 갔는지 이야기(를) 해줄게."

라고 했는데 여동생이

"난 배 안고파 안 먹을 거야."

라고 했고 다시 가게 됐죠. 또 가고 있는데 또 길 가운데 사과나무 하나 있어요. 사과나무가 그렇게 이야기 했어요.

"너는 나의 사과 하나만 먹으면 난 너의 남동생 어디에 있는지 얘기해줄게."

라고 했는데 동생이 먹질 않고 또 가버렸죠. 그래서 가고 있는데, 그 다리 있는 집 하나 발견했어요. 아, 그 집 전에 강이 하나 있었는데, 우유 만드는 강이었어요. 그래서 그 우유 강도 그렇게 얘기를 했죠.

"너는 우유를 조금만 마시면 남동생이 어디 있는지 얘기해줄게."

라고 했는데 동생이, 그 여자애가 듣지 않고 또 가버렸죠.

그때는 (닭)다리 집을 보게 됐는데 거기에 바바야가 살고 있었죠. 그래서 그 옆에는 남동생이 놀고 있었어요. 그래서 그 여자아이가 집 안으로 들어가서 바바야가에게 그렇게 말했죠.

“난 너무 힘들고, 너무 오랫동안 찾았으니까 따뜻하게 해줄 수 없냐? 좀 맛있는 걸 해줘라.”

라고 얘기 했는데 바바야가 알았다고 좀 기다려보라고 얘기 했어요. 근데 갑자기 구석 속에서 쥐 한 마리가 나와서

“너는 나한테 죽(을) 조금이라도 주면 내가 비밀 하나 해줄게. 말 해줄게.”

라고 했는데 그 여자애가 죽을 쥐한테 주면서 그런 이야기를 듣게 됐어요.

“너는 지금 바바야가한테 잡혀먹게 될 거야. 너는 난로 속으로 들어가서 이렇게 될 거야.”

라고 하면서 했죠. 그래서 쥐가 또 그렇게 말했죠.

“기다리지 말고 지금 바로 남동생을 데리고 도망가라! 그 대신 내가 너한테 도와줄 거다.”

라고 했죠. 그래서 아이(누이)가 남동생을 데리고 집으로 가고 있었는데 또 길거리에 강이 있었어요. 그래서 강이 또 다시 말했어요.

“너는 우유를 조금이라도 마시면 내가 너를 도와줄 거다.”

그래서 아이가 우유를 마시고 그 강 속으로 들어가서 백조, 그 거위백조가 안 보이게 됐어요. 근데 거위백조가 또 그 아이랑 남동생을 찾게 되는 거죠. 바바야가가 시켜서. [조사자: 쫓아오는구나?] 네. 그래서 그때 강이 한번 도와줬고 또 다시 가고 있죠. 근데 거기는 사과나무가 또 이야기를 해요.

“내 사과 하나만 먹으면 내가 도와줄게.”

또 여자애가 사과를 하나 먹고, 그때 사과나무가 나뭇가지로 아이를 가리고 그 남동생을 가리고 백조(에게) 안 보이게 했어요.

또 다시 집으로 가고 있는데, 그때는 난로가 있어요. 생겼어요. 그래서 여자애가 과자를 하나 먹고 난로 뒤에 숨겨서 백조가 안 보이게 다시 됐죠.

그래서 결국은 백조들이 아이랑 남동생을 찾지 못해서 바바야

가에게 돌아갔고 애들이 다시 집으로 돌아가게 됐어요. [조사자: 엄마 아빠가 돌아오시기 전에 남동생을 데리고 온 거예요?] 네.

바바야가의 새에게 잡혀간 동생을 구한 누이 [3]

● **구연정보**

조사일시 : 2018. 01. 16(화) 오전
조사장소 : 서울시 관악구 남현동
제 보 자 : 김알라 [러시아, 여, 1977년생, 결혼이주 5년차]
조 사 자 : 김정은, 황승업, 강새미

● **구연상황**

제보자가 〈양치기 소년 이반의 피리 소리〉 구술을 마친 뒤 조사자가 혹시 바바야가 이야기를 알고 있는지 묻자, 제보자는 다양한 바바야가 이야기가 있다고 했다. 조사자가 바바야가 이야기 중 기억나는 것을 구술해달라고 하자, 잠시 생각을 하던 제보자는 이 이야기를 들려주었다. 구술이 끝난 뒤에 제보자는 또 다른 유형의 바바야가 이야기를 짧게 들려주었다. 우즈베키스탄의 박빅토리아 제보자가 이야기를 함께 들었다.

● **줄거리**

옛날에 한 부부가 일을 하러 가며 딸에게 남동생을 잘 돌보고 있으라고 했다. 딸은 친구들과 놀다가 남동생이 거위 떼에게 잡혀가는 것을 보고서 거위를 쫓아갔다. 우유로 된 강에 다다른 딸이 자기 동생을 보지 못했느냐고 묻자 강은 우유와 쿠키를 먹으면 알려 주겠다고 했다. 하지만 딸은 먹지 않겠다고 하고 다시 길을 갔다. 그녀는 다시 사과나무와 페치카를 만나 동생이 간 곳을 물었는데, 그들이 사과와 빵을 먹으면 알려주겠다는 말을 거절했다. 길을 가다가 바바야가의 집 안에 동생이 있는 것을 본 누이는 바바야가에게 집안일을 도와주겠다고 한 뒤 바바야가가 나간 사이에 동생을 데리고 도망쳤다. 도망을 치던 오누이는 페치카와 사과나무와 우유 강을 만난 뒤 그들이 제안한 대로 빵과 사과, 우유를 받아먹었다. 그들이 오누이를 숨겨준 덕분에 바바야가와 거위 떼는 오누이를 보지 못하고 지나쳤다. 그렇게 오누이는 무사히 집으로 돌아왔다.

그러니까 옛날 옛날에 부모님이 살았는데 아들과 딸 있었어요. 그러니까 딸은 조금 크고 아들은 막내였어요. 그래서 부모님이 일하러 나갈 때는 딸한테 말했어요.

"동생 잘보고, 우리 올 때까지 기다려. 그래서 밖으로 나가지 말고."

그런데 나가자마자 딸은 친구들과 같이 재밌게 놀고 깜빡했어요, 동생이랑 뭘 했는지. 그냥 마당에, 마당에 앉아 있었는데. 그런데 저녁이 되자, 보니까 동생이 없어요. 없어졌어요. 그래서 멀리 보니까, 거위 떼가 날아가고 있었어요.

그때는 거위 떼는 그 사람들이 많이 소문 그런 거 퍼졌는데, 어린 아이들 거위 떼가 그 뭐지? 잡아, 잡아와 [조사자: 잡아서.] 네, 잡아서 데리고 가는 거예요. 그래서 그 또 거위 떼 쪽으로 갔어요. [조사자: 누나가?] 네.

먼저 가서 처음에는 강까지 갔는데, 그 강은 강, 일반 강도 아니고 음료수였어요. 바닥가(땅)는, 어, 바닥가 있잖아요? 바닥가는 빵이었어요. 뭐 쿠키 같은 빵. 그 동화책이니까 그래서 물도, 물도 아니고 음료수고요. 우유, 우유였죠. (러시아어) (웃으며) 그러니까 음료수랑, 땅은, 바닥가는 쿠키였어요. 그래서 뭐 아 그 여자아이는 강한테 물어봤어요.

"강, 사모님? 이모님, 우리 동생 어딨냐?"고.

그래서

"내 음료수 마시고, 내 그 쿠키 먹으면 말해줄게."

"아, 싫어. 우리 음료수, 우리 집에서 음료수 더 맛있고, 쿠키 더 맛있어."

그래서 그냥 가버렸어요. 그래서 더 가고, 더 가고. 다음에는 사과나무 봤어요. 그래서 사과나무,

"나무이모, 우리 동생 봤냐?"고.

물어봤는데,

"어, 봤어. 그런데 우리, 내, 저의 사과를 먹으면 말해 줄게."

말했는데. 그래서

"아, 싫어. 우리 집에서 사과 더 맛있다."

그랬는데, 가버렸어요.

이번에는 난로. 옛날에 러시아에서 페치카. 예, 난로. 저 그 우즈베키스탄이랑 조금 달라요. 그 거기 위에 올라가서 자도 돼요. 그런 거 있잖아요? 밑에서는 빵 구워서, 아니면 국도 끓일 수도 있고요, 네. 그래서 그 난로한테 물어봤어요.

"혹시 우리 동생 봤냐?"고.

나의, 그 자기 빵 먹으면은,

"난로 안에 빵 있는데, 먹으면 말해 줄게."

그랬는데, 그래서

"아, 싫어. 우리 집 빵 더 맛있다."

그랬는데, 가버렸어요.

그래서 가보니까 이제 그 (러시아어) 러시아말로 표현했는데, (러시아어) 그 집은, 그 마녀 집 있잖아요, 바바야가. 그 다리가 그 닭다리요. 네, 그러니까 (러시아어) 그 집을 봤어요. 그 집 창문 보고 나서 거기 마녀가 옆에 있고, 또 동생 거기 있었어요. 그래서 기다렸다가 들어갔는데, 그래서 바바야가가 물어봤어요.

"너, 뭘 원해, 왜 왔어?"

"내가 뭐 도와드릴게요. 뭐 도와드릴 거 있어요? 뭐 도와드릴까요?"

그랬는데,

"오, 그래."

그러고 이거 심, 뭐 심부름 뭐 이런 거 시켰는데. 집안을 그래서 나갔어요.

그 순간에 어, 그 두 이거 아이들 같이 빨리빨리 도망갔어요. 그래서 도망가고 또 도망가고. 이번에는 그 난로 있잖아요. 그 난로한테

"오, 난로 이모님. 우리 좀 숨어줘요(숨겨줘요)."

그러니까 우리,

"내 빵 먹으라."고.

"먹으면 숨어줄게."

이랬는데. 그래서

“오, 그래요.”

막 막판에

“예, 고맙습니다.”

그러고, 또 예의 바르게. 그래서 안에 들어가서 숨었어요. 그래서 거위들, 거위 떼는 그 마녀가, 바바야가가 보니까 동생도 없고, 그 여자아이도 없고 그래서,

“거위 떼는 빨리 저쪽.”

잡아, 잡아와? 잡아와? 어떻게 말해야 되지? [조사자: 네, 맞아요. 잡아오라고, 거위들한테.] 네. 그래서 거위 떼는 날아갈 때는 난로에 있으니까 아이들 못 봤어요. 그러니까 그냥 지나갔어요. 그래서 아들 보니까, 거위 떼는 지나갔으니까 빨리 다시 도망갔어요.

이번에는 사과나무. 그래 사과나무도 부탁했는데, 사과나무가,

“내 사과 먹으면은 숨어줄게.”

그랬는데, 그래서,

“네.”

사과 먹고,

“고맙습니다.”

하고 숨었어요, 이렇게 나무로. 어, 거위 떼도 이번에도 지나갔어요, 그냥.

또 도망가, 갈 때는 이번에 그 강이잖아요? 그 강한테도 부탁하고 강은 음료수도 마시고, 쿠키도 먹고 강에 이렇게 숨었어요. 거위 떼도 이번에도 못 봐서, 아무 결과 없이 그냥 돌아갔어요.

예, 그래서 동생, 동생 데리고 빨리빨리 집에 갔는데, 바로 그때 부모님이 오셨어요. [조사자: 오셨어요? 아, 너무 재밌어요.] 제가 봤을 때, 이 동화는 뭘 가르쳐 주냐면은,

‘예의 바르게 좀 지내자.’ (일동 웃음)

그러면 빨리 뭐 이렇게 또 뭐 그 어른들한테도 예의 바르게도 이야기 하고, 또 동생들 잘보고. 그런데 그래도 뭐 그 누나 있잖아요, 끝까지 구하고 막 포기하지 않고. 자기 성격까지 바꿔서 뭐 예의 바

르게, 아 이제 똑똑해지고 그런 거예요.

[조사자: 그러면 바바야가는 동생을 잡아서 어떻게 하는 할머니래요?] 음. 네? [청자: 잡아먹으려고.] 네, 네. [조사자: 잡아먹는 거죠?] 네. 또 다른 거 있잖아요. 바바야가 뭐 이렇게 잡아서 이렇게 (팔로 넣는 동작을 하며), 그 그거 있잖아요. 음, 어떻게 말해야 돼? [청자: 삽.] 삽? [청자: 삽.] 삽(오븐에 넣는 손잡이 판을 말함) 그 비슷하게 생긴 큰 거 있잖아요. 빵을 넣을 때, [조사자: 네, 네.] 빵을 뺄 때 그거 있잖아요? 그래서 그걸로 그 남자아이, 남자아이 이렇게 놓고 [조사자: 구워요?] 구우려고 그랬는데, 그런데 남자가 이렇게(팔 다리를 큰 대자로 벌리며) 막 다리 발 이렇게 했는데. 그러니까,

"아니야, 이렇게 (팔 다리를 벌리며)아니야."

"이렇게 아니야? 어떻게 해요?"

"이렇게 계속 이렇게(팔 다리를 오므리며)."

"어떻게 이렇게? (팔 다리를 벌리며)이렇게? 이렇게?"

이러고 모르는 척하고. 그러니까,

"아이, 보여줄게. 나 잡아."

그러니까,

"이렇게(팔 다리를 오므리며) 해야지."

그래서 확. 그 여니까 확. [조사자: 푹 넣었구나, 바바야가를.] 그런 것도 있어요. [조사자: 아, 그렇게 넣었구나.] 네, 여러 가지 있어요. 네, 강사하면 되게 가르쳐요. 뭐

'약하지만 똑똑, 뭐 머리로 머리 써야지.'

그런 거 알 수 있어요.

[조사자: 어, 좋네요.] 네. 러시아 가면 되게 거의 다 그래요.

바바야가를 물리친 소녀

● **구연정보**

조사일시 : 2016. 11. 19(금) 오후
조사장소 : 서울시 중구 을지로 러시아거리
제 보 자 : 우정부 [러시아, 남, 1941년생, 영주귀국 7년차]
조 사 자 : 조홍윤, 황승업, 김자혜

● **구연상황**

제보자는 〈바바야가의 새에게 잡혀간 동생을 구한 누이〉 이야기 구술을 마친 뒤 잠시 자신의 삶에 대한 이야기를 들려주었다. 그 후 조사자가 다른 러시아 설화 구연을 부탁하자 이 이야기를 구술했다. 러시아의 유치원 아이들도 알고 있을 정도로 유명한 이야기라고 했다.

● **줄거리**

한 소녀가 아버지와 계모와 함께 살았다. 계모는 남편이 멀리 일을 떠나자 소녀에게 원피스를 만들어줄 테니 자신의 여동생을 찾아가 실과 바늘을 빌려오라 했다. 소녀는 계모의 여동생에게 가기 전 이모의 집에 들렀다. 이모는 소녀에게 댕기와 기름, 빵과 고기를 주며 자작나무를 만나면 댕기로 가지를 묶어주고, 삐걱대는 문을 보면 기름을 칠해주고, 개에게는 빵을 주고, 고양이에게는 고기를 주라고 했다. 소녀는 계모의 여동생을 찾아갔는데, 계모의 여동생은 바바야가였다. 바바야가는 소녀에게 천을 짜게 하며 그녀를 잡아먹을 계획을 세웠다. 소녀가 천을 짜고 있을 때 고양이가 다가오자 소녀는 고양이에게 고기를 주었고, 고양이는 바바야가가 곧 잡아먹을 것이니 도망가라고 했다. 그리고 책상 위에 있는 빗과 수건을 가지고 가서 바바야가가 오는 소리가 들리면 그것들을 하나씩 던지라고 했다. 소녀가 몰래 마당으로 나올 때 사나운 개들이 달려들자 빵을 던졌고, 삐걱대는 문에 기름칠을 하여 무사히 집을 빠져나왔다. 그리고 자작나무의 가지를 댕기로 묶어주고 소리가 나지 않게 했다. 바바야가가 쫓아오는 소리를 들은 소녀는 빗을 던졌고 커다란 숲이 생겼다. 바바야가가 숲을 벗어나 다시 쫓아오자 소녀가 수건을 던졌고 커다란 강이 생겨났다. 바바야가는 황소를 불러 함께 강물을 다 마셔 없애려 했지만 다 마시지 못하고 결국 배가 터져버렸다. 무사히 집으로 돌아온 소녀가 아버지에게 이 사실을 이야기하자 아버지는 계모를 쫓아내고서 딸과 행복하게 살았다.

남편하고 부인하고 살았지요. 살았는데, 딸이 있었어요. 엄마가 죽었어요. 아버지가 다른 여자를 얻었어요. 그런데 그 계모가 딸을 미워했거든요. 때리고 욕하고 일 많이 시키고. 그래 아버지가 한 때 돈 벌러 갔어요. 그러니까 계모가 뭐라는가 하면, 딸한테

"너 우리, 내 누이한테 가서, 너희 이모한테 가서 바늘하고 실 구해와. 내 너한테 옷 하나, 옷."

뭐라 해요? 뭐라 하나? 여자 옷 어떤 거 있어요? [조사자 1: 원피스 있고] 원피스 예.

"원피스 같은 거 하나 만들어 주겠다."

[조사자 2: 드레스?] 드레스 아니고, 위에 거, 위에 거. 그런데 그 이 여자의 동생, 누이가, 누이가 바바야가예요. 바바야가예요. 그런데 어디 집에 사냐하면, 그 닭다리 집에서 살아요. 그런데 못 가겠다는 말은 이 딸은 못하고 그래 갔지요. 가서

"이모 안녕하세요?"

하니까, 이모가 말하기를

"너 왜 왔느냐?"

"우리 어머니가 보냈어요. 실하고 바늘을 빌려달라고 왔어요. 나한테 옷을 해주겠대요."

그런데 이게 누구한테 왔는가 하면, 계모의 누이한테 온 게 아니라, 처음의 자기의 친 어머니의 누이한테 왔어요. 친, 친누이한테. 그러니까 친 이모가 뭐라는가 하면, 댕기를 주고, 댕기, 기름을 주고, 빵을 주고, 고기 주고.

"이거 가져가라. 가다가 자작, 자작나무, 어 자작나무가 있는데, 이 자작나무를 이 댕기가지고 짜매(묶어) 줘라."

그리고 문이 이렇게 뭐라 해요? 열고 닫고 할 때, 찌익찌익 이러면서 소리 나잖아요. 나지요?

“그럼 그거를 기름을 발라 줘라. 그다음에 빵은 개들이 달려들면 빵을 줘라. 그다음에 고양이들이 달려들면, 눈을 호빌, 후비려고 달려들면 고기를 줘라.”

그러니까 그 고양이가 눈을 호비면은 도망을 못가거든요. 돌아올 때, 돌아올 때.

그래 감사하다고 인사하고 산, 숲으로 해서 가고. 그러고 왔는데, 그 바바야가 집에 왔는데, 그렇게 집이 생겼어요. 그래 계모의 누이한테 왔지요.

“이모, 안녕하세요?”

뭐라 해요? 조카?

“조카 왔느냐? 무엇이 필요 하느냐?”

“어머니가, 계모님이”

계모라 불러요? 계모라고 해요? 이 그렇게 부르잖아요, 한국에서는? 하죠? [조사자 1: 새어머니.] 새어머니, 계모님? [조사자 3: 당사자한테 ‘계모님’이러지는 않아요. 새어머니.] 새어머니. 당사자한테는 안 부르지?

“왜냐하믄 그 어, 어머니가 보냈습니다.”

좋아요?

“그 바늘하고 실하고 구하러 왔어요.”

“내가 바늘하고 실하고 주겠으니까 그, 여기 앉아서 좀 일을 해라. 내 한 일을 해라”

그 갔지. 천 짜요. 천 짜는 거, 천 짜는 거 그거 해요.

“내 조카 딸.”

그러면서 그러고.

또 바바야가가 또 밖에 나가서, 집안에서 나가서, 어 뭐지 저, 일꾼들한테 뭐라고 하는가면은

“야 좀 저, 내가 자겠으니까 너는 가서, 그 목욕탕을, 목욕탕을 불 때라.”

왜냐하믄 그 뭐라고 그러지? [조사자 1: 조카?]

“조카를 깨끗이 좀 목욕시켜라. 왜 그런가 하면 그거는, 잘 목욕

시켜라. 깨어나서 내가 먹어버리겠다."

그런데 이 여자가, 애기가 들었어요, 그 말을. 그래 그 고민 많이 하지요. 그래 이 바바야가가 간 다음에 그 일꾼 여자한테 또, 어 뭐라고 해요? 집에서 일 보는 그 [조사자 1: 하인?] 하인? 몸종? 집안일 보는 사람, 여자, 뭐라고 해요? [조사자 1: 하인.] [조사자 3: 하녀.] 하녀? 하녀, 하녀. 그 여자가 말해요.

"목욕탕 불 때고 그렇게 시켰다, 나를."

그 바바야가가 깨어났어요. 그래 창문에 와서 물어봐요.

"지금 너 천은 짜고 있느냐?"

"네, 짜고 있습니다."

바바야가가 계속 또 자요. 이 아이가 고양이한테 고기를 줘요. 그래서

"고양이야, 고양이야. 어떻게 도망갈 수 있느냐?"

그러니까 고양이가 뭐라 그러냐면,

"이 책상 위에 수건이 있다. 그러고 빗이 있다. 그걸 가져라. 그리고 도망해라. 깨어나면 너를 먹어버린다. 바바야가가 따라올 수 있다. 그러면 땅에다가 귀를 대고 들어라. 가까이 왔다는 그런 짐작이 오면은 이 빗을 던져라. 그러면 무성한 숲이 생긴다. 그래 그 바바야가가 이 숲을 통과할 때 너는 먼 데로 도망해라. 그래 다시 들어보고 또 이렇게 가까이 다가왔다는 그런 짐작이 오면은 수건을 던져라. 그러면 깊은 강이 생긴다."

"그래, 고맙다. 그래, 고양이야."

그래 이 아이가 떠나요. 그런데 가는데 개들이 막 또 달려들거든요. 그래서 먹을 수 있지요, 잡아, 저 깨물 수 있지요. 그래서 빵을 던졌어요. 그래 개들이 그거 빵을 먹는다고 사람, 아이가 지나가는 걸 모르지요. 그래 지나가는데 그, 이제는 울타리를 나와야 되는데, 대문이, 대문이 '찌익찌익' 소리 난단 말이에요. 그래 거기다가 기름을 부었어요. 그래 나왔지요. 그래 나오는데, 이 지나가는데 자작나무. 바람에 팍 불면 또 시끄러워진단 말입니다. 그래서 이거를, 댕기를 잡아맸어요. 그러니까 잠잠해졌어요. 그래 자작나무도 통과시켜 주

고. 그래 그냥 달려가요. 그래 고양이는 천 짜는 그 기계 가지고 지금 천 짜고 있고. 바바야가가 깨어나서 물어봐요.

"너 짜고 있느냐? 조카야."

"짜고 있습니다."

대답해요. 고양이가 대답해요.

집에 들어와 보니까, 바바야가가 들어와 보니까 여자아이가 없지요. 그리고 고양이가 천을 짜고 있단 말입니다. 그래 고양이를 막 두들겨 패고,

"아주 몹쓸 고양이다. 왜 아이를 내보냈느냐? 왜 눈을 후비지 않았느냐, 앞을 못 보게."

그래 고양이가 뭐라는가 하면,

"내가 얼마나 너한테 순종하고 이렇게 섬기고 잘 해줬느냐. 돌봐주고. 그런데 무슨 뭐 고기 하나 안 던져주고 그랬지만, 그 여자 아이는 나한테 고기를 줬어."

그래 바바야가가 이 방, 집에서 뛰어 나갔는데. 개들한테, 그 마당에 있는 개들한테

"너들은 왜 물지 않았어?"

그러니까

"우리 얼마나 주인한테 잘해줬는데, 한번 빵, 맛있는 거 주지 않았어. 그 아가는 나한테, 우리한테 맛있는 빵 던져 줬어."

그래 또 이렇게 가서, 대문한테 가서

"대문, 대문은 왜 그렇게 열어줬어? 막지 않았어?"

"우리가 그렇게 고생하고 찌익찌익 소리 나고 손이 아팠는데, 물 한 방울 좀 찍어주지 않고. 그 아가는 나한테 기름을 부어줬어."

그래 자작나무한테 갔지.

"자작나무 너는 그걸, 도망가는 걸 보고도 소리, 샤, 샤 소리 내지 않았어?"

"얼마나 내가 이 집 앞에서 잘해주고 했는데, 댕기도 안 매주고 그렇게 하고. 그런데 그 애기는 참 예쁜 댕기를 나를 짜매줬다."

그런데 이 집 안에 그 하인은, 왜 너 이렇게 보고는,

"너는 왜 가만히 있었느냐?"

그런데 그 하인도 그렇게 말해요.

"얼마나 내가 잘해줬습니까? 그런데도 하나 무슨 뭐 좋은 말 안 해주고."

그래 바바야가가 소리치고, 야단 때리고 하더라.

그래 그 아이, 딸만한 거를 따르자고 따라갔다. 그래 아이, 여자 아이는 달리고, 달리고, 달리고 쉴 새 없이 달렸다. 땅이 막 흔들릴 정도로 달렸다. 그래 바바야가가 이제는 가까이 도착했다. 이 아가는 땅을 들어보니까, 그것을 짐작하고 이제 빗을 던졌다. 큰 숲이, 무성한 숲이 일어섰다. 그래 바바야가가 그 나무를 딱 꺾고 통과해서 사이로 이렇게 지나오자니까 시간이 많이 걸렸다. 아이, 이 딸은 많이 도망갔다.

또 조금 시간이 지났는데 땅이 흔들흔들 거렸다. 그래서 보니까 바바야가가 또 다시 또 달려 왔다. 그때는 수건을 던졌다. 수건을 던지니까 강이 되어 버렸다. 넓은, 넓고 아주 깊은 강이 되었다. 그래 바바야가가 강에 와서 건널 수 없지. 그래서 집으로 다시 돌아갔다. 그래 자기 그 황소들을 다 불러서 강으로 내쫓았다. 그래 황소들이,

"너희들이 이거 물을 다 마셔라."

아무리 마셔봐야 강물이 줄어들지 않았다. 그러니까 자기가 먹기, 마시기 시작했다. 아무리 마셔봐야 물이 줄어들지 않았다. 그래서 그 먹다가, 마시다가, 마시다가 너무 배가 부어서 터져버렸다.

그래 집에 돌아오니까 어머니, 아버지 집에 다 있단 말입니다.

"너 어디 갔댔느냐?"

그래 그 얘기를 했단 말입니다.

"내 그래서 이렇게 고생하고 왔습니다."

하니까

"누가 보냈느냐?"

"계모가 보냈습니다."

그래 계모를 아버지가 내쫓고 아버지가 딸하고 그렇게 참 행복하게 살았습니다.

바바야가를 죽인 어린 성주 주카카

● 구연정보

조사일시 : 2018. 07. 09(월) 오전
조사장소 : 경기도 오산시 은계동
제 보 자 : 김알라 [러시아, 여, 1977년생, 결혼이주 5년차]
조 사 자 : 김정은, 황승업, 강새미

● 구연상황

중국의 쳔슈얀 제보자가 〈동곽 선생과 늑대〉를 구연한 뒤, 잠시 휴식시간을 가졌다. 조사자가 김알라 제보자에게 바바야가 이야기를 청하자, 제보자는 어릴 적 들었던 이야기를 떠올린 뒤 자료를 찾아보며 구연했다. 구연 도중 제보자는 몇 번이나 내용이 무섭다고 말하며 무서운 부분이 나올 때면 너무 징그럽다는 소감을 덧붙이기도 했다. 제보자는 어린 시절 이 이야기를 만화로 접했는데 만화는 징그러운 부분이 없이 귀엽다고 느꼈는데, 성인이 되어 원본을 확인하고 많이 놀랐다고 했다. 몽골의 온다르마 제보자가 중국의 천슈안, 리하이리엔 제보자가 청자로 참여했다.

● 줄거리

어린 성주인 주카카가 고양이, 참새와 성에서 살고 있었다. 고양이와 참새가 장작을 구하려고 잠시 성을 비우면서, 주카카에게 혹시 바바야가가 오면 아무 말도 하지 말고 가만히 있으라고 했다. 고양이와 참새가 나간 뒤 바바야가가 성에 들어와 주카카의 숟가락을 자기 것이라고 말하자 주카카는 바바야가에게 말을 하게 되었다. 바바야가가 주카카를 잡아먹으려고 끌고 가려 할 때 주카카가 도움을 청하자, 고양이와 참새가 와서 구해 주었다. 그다음 날에도 같은 일이 반복됐다. 셋째 날에 고양이와 참새는 주카카에게 이번에는 아주 멀리 가니 절대 바바야가에게 말을 하지 말라고 당부했지만, 주카카는 이번에도 말을 해서 바바야가에게 잡혀갔다. 바바야가는 자신의 세 딸에게 주카카를 잘 지키라고 했다. 주카카가 음식 만드는 삽 위에 어떻게 앉는지 모른다고 하자, 첫째 딸이 직접 삽 위에 올라갔고 주카카가 삽을 난로에 넣었다. 둘째 딸과 셋째 딸, 그리고 바바야가도 똑같이 삽 위에 올라갔다가 난로에 들어가 죽게 되었다.

어느 마을에서 성주랑 '주카리' 이름이 주카리. 귀엽게 하면 '주카카'. 그거 할아버지 나이면 주카리, 이번에는 주카카. 고양이랑 새. 그 조그만 새 있잖아요, 갈색 새 뭐였지? [조사자 1: 참새?] 참새. 새 친구들 살고 있었는데 주카카 어려가지고 집에 있었는데, 맨날 고양이와 참새랑 그 잠잘? [조사자 2: 잠자리?] 잠작, 나무. [조사자 1: 장작.] 장작 자르려고 갔다 왔어요.

그래서 어느 날 고양이와 참새는 주카카에게 말했어요.

"우리 오늘 좀 멀리 간다. 그래서 혹시 바바야가• 오면 그냥 가만히 있어, 조용히. 나오지도 말고. 그래서 무슨 아무 애기해도 그냥 가만히 있으라."고.

했는데 나갔어요. 그래서 주카카는 그동안은 바바야가 들어왔어요. 들어왔는데 식탁에 스푼, 숟가락 있었어요. 세 개. 그래서 그런 말 했어요.

"이 스푼은 고양이 거죠. 이 스푼은 참새 거죠. 이 스푼은 주카카 건데, 내 거야."

주카카 못 참아가지고 나왔어요.

"내 거야. 건드리지 마!"

그랬는데 바바야가는 잡았는데 같이 갔어요. 먹으려고. 여기 무서운 거 나오는데 괜찮아요? 그래서 제가 이 동화를 번역하려고 그러는데 읽을수록 너무 끔찍한 거 나오니까 안 되겠다. [조사자 1: 그랬구나. 우리한테 해주셔도 돼요. 좋아요.] 그래서 잡았는데 주카카를 같이 집에 데려갔는데. 근데 주카카는 소리쳤어요.

"고양이 이리 와라! 참새 날아와라!"

그래서 구했어요. 주카카를 고양이랑. [조사자 1: 참새가요?] 네, 왔어요. 그래서 구했어요. 집에 왔는데 또 똑같은 말했어요.

"혹시 오늘 바바야가 오면 그냥 가만히 있으라."고.

"아무 소리 하지 말고."

• 바바야가(Baba Yaga, Baba-Jaga)는 러시아 민담에 나오는 할머니다. 어린이들을 훔쳐다 요리해 먹는다고 한다.

또 똑같았어요.

“이거는 숟가락은 고양이 거, 참새 거, 주카카 거 내 거다.”

또다시 이렇게 되어 가지고 주카카 또 소리쳤어요.

“고양이 살려줘! 참새 살려줘!”

이번에도 살려줬는데, 다음 날에는 이번에는 고양이가, 참새가 주카카에게 말했어요.

“이번에는 진짜 멀리 간다. 이번에는 아무리 소리쳐도 못 듣는다. 그냥 가만히 있으라.”고.

그랬는데 바바야가 들어왔을 때는 똑같은 얘기해요.

“고양이 거, 참새 거, 주카카 거 내 거다.”

조용해요. 또,

“고양이 건데, 참새 건데, 주카카 건데 내 거다.”

조용해요. 그거 세 번 했는데 세 번째는,

“아니야! 내 거야!”

못 참았어요. 그래서 이번에는 같이 데려갔는데 아무리 소리쳐도 고양이와 참새가 못 들었으니까 못 구했어요.

그래서 바바야가는 집에 왔는데 세 명 딸 있었어요. 그래서 큰 딸에게,

“주카카를 보호하라.”

고 말했는데,

“나 갔다 올게, 일 있다.”고.

“갔다 올게.”

그랬는데 큰 딸은 난로랑 그거 있잖아요, 무슨 삽 같은 거. 그래서,

“여기 앉으라.”

고 했는데,

“난 몰라. 어떻게 해? 가르쳐줘.”

그래서 앉았는데,

“이렇게? 이렇게?”

막 불편하게 못 들어가게. 그래서,

“난 몰라. 가르쳐줘.”

그래서 큰딸은,

"이렇게 해야지!"

그래서 주카카가 난로 [조사자 1: 집어넣었어요?] 네. 그래서 죽였어요. 죽였잖아요. 그래서 바바야가 왔는데,

"주카카 준비했어요? 구웠어요?"

근데 주카카가,

"아니야. 네 딸이야."

그랬는데 그래서 다음 날에는 둘째 딸에게 똑같았어요. 둘째, 셋째 다 똑같은 식으로 죽였어요. 마지막에는 바바야가 혼자 남았잖아요.

'안 되겠다, 내가 죽여야지.'

그랬는데.

"주카카 너 이리 와. 여기 앉아. 똑바로 앉아."

똑같은 식으로 이렇게, 이렇게 했는데,

"가르쳐줘. 그럼 내가 똑바로 앉아야지."

똑같은 식으로 바바야가를 죽였는데. 그래서 행복하게 신나게 나와 가지고 고양이하고 참새 집에 갔는데, 내가 어떻게 바바야가를 정리했는지 자랑스럽게 얘기했어요.

(제보자가 다른 이야기를 하느라 잠시 구연이 중단되었다)

[조사자 2: 근데 이 성주는 막 힘이 세다거나 그렇지는 않아요?] 아니 애기예요. [조사자 2: 그냥 집 안에만 살아요?] 그러니까 어려가지고,

"집에 있으라."고.

그 고양이랑 참새랑.

"집에 있으라. 우리 갔다 온다."

아직 어리니까.

[조사자 2: 늙어도?] 아니 늙어도는 좀 달라요. 왜냐면 성주는 여러 가지 있어요. 아기도 있고 아저씨, 할아버지도 있고. 또는 여자도 있어요. 그래서 이번에는 주카카. 이렇게 귀엽게, 아기예요. 그러니까 밖에도 못 나가고 스스로도 자기를 뭐 누구랑 싸울 수도 없고.

그래서 주카카는 어리고 작지만 근데 이렇게 머리 쓰니까 바바

야가까지 딸 세 명 정리했어요. [조사자 1: 고양이랑 참새가 키우는 느낌이에요. 오히려.] 네.

염소로 변한 이반슈카와 되살아난 누이 알료누슈카

● **구연정보**

조사일시 : 2017. 01. 05(목) 밤
조사장소 : 부산 사상구 주례동
제 보 자 : 안나가르캅축 [러시아, 여, 1993년생, 유학 3년차]
조 사 자 : 조홍윤, 황승업, 김자혜

● **구연상황**

제보자는 〈개구리 공주와 결혼한 이반 왕자〉를 마친 뒤 조사자들의 반응을 보고 민담에 대한 호응도가 높다고 생각했는지 또 다른 민담 하나를 구연했다. 성장담과 결연담에 해당하는 이야기로, 구연 내용이 정합적이고 구체적인 세부내용까지 잘 구연되었다.

● **줄거리**

옛날에 누나 알료누슈카와 남동생 이반슈카가 조부모와 함께 살았다. 조부모를 여의고 얼마 되지 않은 어느 날 둘이서 길을 가던 중 이반슈카가 목이 마르다고 했다. 알료누슈카가 몇 번이나 말렸지만, 이반슈카는 염소가 마시는 물을 먹고는 염소가 되어버렸다. 이를 본 알료누슈카가 울고 있자 지나가던 부자가 그녀와 염소를 집으로 데리고 가서 살았다. 행복하게 잘 지내고 있던 어느 날, 마녀가 나타나 알료누슈카를 물에 던져 죽이고 그녀 행세를 하며 살기 시작했다. 모든 것을 알고 있던 염소 이반슈카는 누이가 죽은 강에 가서 매일 슬피 울었다. 마녀는 그마저도 죽이려고 했지만 부자는 그 일을 원치 않았다. 결국 마녀는 사람을 시켜 강에서 울고 있는 염소를 죽이게 했는데, 그 사람은 불쌍한 마음이 들어서 염소를 죽이지 않고 부자에게 그 사실을 말했다. 부자가 물속에 있는 알료누슈카를 꺼내어 살린 뒤 마녀를 죽이자 염소 이반슈카도 다시 사람이 되어서 함께 행복하게 살았다.

옛날에 할아버지, 할머니, 그리고 여자애, 남자애가 같이 살고 있었어요. 그런데 할아버지, 할머니 돌아가시고 아이 둘만 남게 되었어요.

그래서 여자애가 자기 남동생을 데리고 일하러 갔어요. 일하는 곳까지 시간이 너무 오래 걸려서 남동생이

"나는 목이 말라서 물이 먹고 싶다."

라고 이야기했어요. 여자 아이가 말하는 거는.

"좀 참아보자. 우물을 찾기 전까지는 마시면 안 된다."

그래서 그냥 가고 있는데 또 그 남자 아이가

"나 목이 말라요. 물 먹고 싶어요."

라고 했는데, 그 여자 아이가 또 참으라고 했어요. 그런데 세 번째로 그 남자 아이가 그 이야기를 했을 때, 어떤 길거리에 물방울 하나를 보게 됐어요. 근데 그거는 염소들이 먹는 물이었어요. 그래서 그 남자 아이가

"아 나는 도저히 참을 수가 없다. 물을 마실 거야!"

라고 해서 물을 마시게 됐는데, 그 순간 남자가 염소로 바뀌었어요. [조사자: 변했어요?] 변했어요.

그래서 그 여자 아이의 이름은 알료누슈카Alyonushka였고 그 남자애 이름은 이반슈카Ivanushka, '이반', 좀 호칭인데 아이를 귀엽게 부를 때 '슈카'를 써요. 그래서 알료누슈카가 그 자리에서 울고 있었어요. 그리고 동생이 염소로 그 옆에 같이 있었어요. 그런데 어느 순간에 부자인 남자가 걸어가고 있었어요. 그래서 그 여자 아이를 보고

"아, 너는 나랑 결혼하면 나는 너한테 돈을 많이 줄 수 있기 때문에 염소랑 같이 편하게 살 수 있다."

라고 했고 그 여자가 오케이 했어요. [조사자: 아, 염소까지 책임질게. 이렇게 한 거예요?]

네. 그래서 부자랑 같이 살게 되었는데, 어느 날 마녀가 나타났어요. 그래서 마녀가 알료누슈카한테 얘기를 했어요.

"같이 강까지 가주면 나는 너의 남동생을 다시 사람으로 변화시킬 수 있다." [조사자: 변하게 해 준다고?]

염소를 다시 사람으로 돌려준다고 이야기했어요. 그래서 알료누슈카가 너무 기뻐서 같이 갔는데 갑자기 마녀가 아이의 목에다 돌을 하나 메고 강에다가 버렸어요. 근데 알료누슈카는 살아있어요. 죽진 않았어요. 알료누슈카는 물속에 살고 있었어요.

근데 그 마녀가 그 여인의 모습으로 돼서 다시 부자 집으로 갔어요. 그래서 그 여인처럼 살기 시작했는데, 남동생인 염소가 다 알고 있었죠. 자기 누나가, 자기 누나 아니라는 걸. 그래서 염소가 강까지 갔어요. 그리고 굉장히 슬프게 울고 있었어요.

"알료누슈카! 나와봐! 어디에 있냐?"

하면서, 알료누슈카는 물에서

"나는 목에 돌을 메고 있어서 갈 수 없어."

라고 하고. 근데 그것을 마녀가 봤어요. 그래서 부자한테 이야기했어요.

"우리는 그 염소 필요 없다. 죽이자."

그런데 그 부자가 정이 너무 들어서 염소를 죽이기 싫었대요. 그런데 염소가 계속 매일 매일 강까지 가서 알료누슈카랑 이야기를 했대요. 그래서 어느 날 마녀가 사람을 보내서

"너는 강까지 가서 거기서 염소를 죽이라"

라고 했어요. 그런데 그 사람이 염소랑 알료누슈카가 이야기하는 것을 보고 다시 집으로 돌아가서 부자한테 다 얘기를 했대요. 그래서 그때 부자가 사람을 불러서 알료누슈카를 물속에서 꺼냈고 다시 살게 되었는데, 마녀를 말 꼬리에다가 묶어 놓고 죽였대요. [조사자: 말 꼬리에 묶어 가지고 말을.] 네.

[조사자: 그럼 동생은 평생 염소로 살았어요?] 아니요. 동생은 뒤로 세 번 돌리고 나서, 기뻐서 뒤로. [조사자: 너무 기뻐가지고 덤블링 tumbling 했구나] 네. 그러고 나서 사람으로 다시 됐어요. (웃음)

[조사자: 자기 누나를 구한 다음에 상으로 받았나 봐요.] 네. 그래서 러시아에서 이제 물을 마실 때 이런 데(길)서 마시면 안 된다. 깨끗한 물을 마셔야한다. 그런 이야기 있어요.

불새를 잡으러 간 이반 왕자

● 구연정보

조사일시 : 2017. 01. 05(목) 밤
조사장소 : 부산 사상구 주례동
제 보 자 : 안나가르캅축 [러시아, 여, 1993년생, 유학 3년차]
조 사 자 : 조홍윤, 황승업, 김자혜

● 구연상황

제보자가 〈염소로 변한 이반슈카와 되살아난 누이 알료누슈카〉 구연을 마친 뒤 조사자는 러시아의 영혼관이 궁금해져 제보자와 이에 대한 이야기를 나누었다. 그 후 제보자는 다음에 구연할 이야기를 한참 고민한 끝에 러시아 대표 민담인 이반 왕자의 모험담을 시작했다.

● 줄거리

옛날에 세 왕자를 둔 왕이 있었다. 왕에게는 황금사과 나무가 있었는데 사과가 하나씩 없어지기 시작했다. 왕은 왕자들에게 누가 범인인지 찾아오도록 했는데, 막내인 이반 왕자가 불새 자르 프띠차가 범인임을 밝혀냈다. 왕은 왕자들에게 불새를 잡아오도록 했고, 길을 떠난 이반은 늑대의 도움으로 다른 나라에 있는 자르 프띠차를 찾아냈다. 늑대는 이반에게 새장을 만지지 말고 새만 훔쳐오라고 했으나 이반이 새장을 만지는 바람에 붙잡히고 말았다. 불새를 가진 왕은 옆 나라에 있는 명마(名馬)를 가져오면 불새를 주겠다고 했고, 명마를 가진 왕은 옆 나라의 미녀인 엘레나를 데려오면 말을 주겠다고 했다. 이반은 늑대의 도움으로 엘레나를 데려오는 데 성공했으나 명마를 가진 왕에게 엘레나를 주고 싶지 않았다. 이때 늑대가 엘레나로 변해 왕을 속였고, 이반은 명마를 갖게 되었다. 늑대의 도움으로 불새까지 얻어서 돌아가던 이반은 형제들에게 죽임을 당했으나, 다시 늑대의 도움으로 되살아났다. 이반은 형제들에게 복수한 뒤 자르 프띠차와 명마, 엘레나를 데리고 왕궁으로 돌아가 행복하게 살았다.

옛날에 왕한테 또 아들이 세 명이 있었어요. 그런데 왕이 되게 예쁜 마당이 있었고, 거기에 사과나무가 있었는데, 그 사과가 금으로 만든 사과였어요, 금사과.

근데 어느 날 그 사과가 계속 없어지게 됐어요. 그래서 왕이 자기 아들한테 시켰죠.

"그 범인이 누구인지 알아봐 달라."고.

그래서 이제 첫(째) 아들이 가서 밤을 새야 되는데 너무 피곤해서 잤대요. 근데 아침에 아버지한테

"한 눈도 못 붙였는데 못 봤다."

라고 이야기를 했대요.

그런데 다음 날은 두 번째 아들이 갔어요. 또 너무 피곤해서 자서 범인을 못 봤대요. 근데 세 번째 아들은 이반이라는 아들이었어요. 그 이반은 갔는데 너무 무서워서 잘 수가 없었대요. [조사자 1: 아, 무서워서 못 잤구나!] 네. 그래서 갑자기 마당이 되게 밝아지게 되면서 어디선가 피닉스phoenix? 새, 러시아 말로는 자르 프띠차жарптица●. 자르 프띠차는 러시아의 피닉스 같은 새예요. 그래서 자르 프띠차가 사과를 먹고 있는 거를 이반이 봤어요. 이제 잡으려고 했는데 자르 프띠차가 너무 힘이 세서 날라갔는데 그때 꼬리에 그 뭐라고 하지? [조사자 2: 깃털?] 깃털 하나를 뽑았어요. 그래서 그거를 가지고 다음 날 아침에 아버지한테 갔어요.

"나는 범인을 봤어요. 그건 자르 프띠차였다."

라고 하면서요. 그랬더니 왕이 되게 안심하면서 계속 잘 살고 있었어요.

그런데 어느 날, 왕이

"나 자르 프띠차를 잡고 싶다."

또다시 자기 아들들한테 지시를 했어요.

"가서 잡아와 달라."

● 러시아 민담에 등장하는 광채 나는 날개를 지닌 새이다. 불새, 화식조(火食鳥)라는 말로 번역된다.

근데 한 아들이 한쪽 길로 갔고, 두 번째 아들이 또 가운데 길로 갔고 이반이가 세 번째 길로 갔어요. 그런데 이반이 가고 있는데 너무 피곤해서 잠깐 나무 옆에 나무를 기대하고 자고 있었는데 일어나 보니까 말이 없어요. 그래서 찾아봤더니 말의 뼈밖에 없는 거예요. 그런데 갑자기 숲속에서 늑대가 나와요.

"이반, 왜 이렇게 슬퍼하냐? 무슨 일이냐?"

물어봤는데, 이반이

"나, 말이 없는데, 갈 수가 없다."

라고 얘길했어요. 그랬더니 늑대가

"뭐하러 말이 필요해?"

물어보면서 이반이

"자르 프띠차를 잡아야 되니까 해서 말이 필요하다."

고 했대요. 근데 그 늑대가 그렇게 말했대요.

"너는 절대로 말을 타고 자르 프띠차를 찾을 수 없다. 자르 프띠차가 어디 있는지 나만 알고 있다. 그러니까 나 타고 같이 가면 내가 보여 주겠다."

라고 얘길 했어요.

그래서 늑대랑 이반이 같이 갔더니 다른 나라의 왕한테 자르 프띠차가 있었어요. 그래서 늑대가 이반한테 그렇게 얘길했어요.

"너는 벽을 넘어서 자르 프띠차 있는 거기를 터치하지 않고 새만 잡고 나가면 아무 문제없을 거다."

[조사자 1: 새장을 건들이지 말고 새만?] 네.

"새장을 건들이면 안 되니까 너는 새만 잡고 나가면 된다."

라고 얘길했는데, 이반이 마침 보니까 새장이 너무 예쁜 거예요, 금으로 돼있어서. 그래서 살짝 만져봤더니 갑자기 온 방향에서 사람들이 모이기 시작했고, 이반을 잡았어요. 이반을 잡고 그 나라의 왕한테 데려갔어요. 그래서 왕이 물어봤죠.

"너는 왜 새를 훔치려고 하니? 너는 정말 나쁜 사람이다!"

라고 했는데, 이반이 사실대로 얘기를 했어요.

"당신의 새가 우리 나무의 사과를 먹었다. 그래서 나는 그 새를 잡으러 왔다."

라고 하면서요. 그런데 그 나라의 왕이 그렇게 말했어요.

"그럼 너는 다른 나라에 가서 나한테 정말 좋은 말 한 마리를 데리고 오면 난 너한테 새를 주겠다."

라고 얘길했어요. 그래서 이반이 되게 슬퍼하면서 나갔는데, 또 늑대한테 다시 얘기를 해줬어요. 그래서 늑대가 그렇게 얘기를 했어요.

"그럼 우리가 또 다른 나라에 가서 말을 가지고 나올 테니 너는 말의 고삐를 만지지 않으면 말을 데리고 나갈 수 있다."

라고요.

그런데 또 이반이가 그 고삐가 금으로 되어 있어서 너무 가지고 싶어서 만졌는데 또 그 나라의 왕한테 잡히게 됐어요. 그런데 그 나라의 왕도

"너는 또 다른 나라의 아름다운 엘레나를 데리고 오면 난 너한테 내 말을 주겠다."

라고 했죠. 또 늑대한테 그 얘기를 하면서 같이 다른 나라로 갔는데 거기서 이반이가 어떻게 엘레나를 데리고 나갈 수가 없었어요. 그래서 늑대가 다시 그렇게 했죠.

"너는 다시 돌아가라. 나는 엘레나를 데리고 나가겠다."

그래서 늑대가 엘레나를 등에다가 앉히고 갔어요. 이반한테.

그래서 집으로 가야 되는데 두 번째 왕한테 엘레나를 보내야 되잖아요? 그런데 이반이 엘레나가 너무 좋아서 보내주기 싫은 거죠. 그래서 늑대가 그렇게 이야기를 했어요.

"알았다. 그럼 너는 계속 가고 있으면 되고, 나는 엘레나 모습으로 이제 될 테니까 너를 도와줄 수 있다."

그래서 늑대가 그 왕한테 가서 엘레나처럼 예쁘게 해줬더니 이제 밤이 되면서 자기가 또다시 늑대로 변해서 나갔어요. 그래서 늑대가 이반이랑 엘레나를 찾아서 같이 가고 있었는데 이반이 또 슬퍼 보이는 거예요.

"아, 나는 그러면 지금 말을 어떻게 가질 수 없냐? 정말 그 왕한테 주기 싫다."

라고 했는데, 늑대가 그렇게 이야기를 했죠.

"알았어. 말로 변신할 테니까 넌 먼저 가고 있어."

그래서 늑대가 그 왕한테 가서 말처럼 이렇게 나타났는데, 그 왕이 말에 앉히는 순간 늑대가 또 늑대로 되면서 나갔어요. 그래서 이렇게 가고 있었죠. 말이랑 이반이랑 엘레나랑 늑대. 가고 있는데 또 이반이가

"아, 나는 새를 갖고 싶은데, 또 말을 주기 싫다."

하니까

"알았다. 나는 그 새를 데리고 또 나갈 거다."

아무튼 이렇게 하면서 결국은 집으로 다 같이 가고 있었는데, 갑자기 다 같이 가는 모습을 형제들이 봤어요. 그래서 이렇게 이야기를 했죠.

"우리는 이반을 죽이고 새랑 엘레나랑 말을 데리고 아버지한테 가자."

하고요.

근데 이반이 너무 안심되면서 늑대한테 이별의 인사를 했죠. 근데 늑대가 그렇게 이야기를 했어요.

"아직은 아니다. 나중에 또 나의 도움이 필요할 거다."

라면서요. 그런데 이반이 말을 듣지 않았어요.

또 이제 이반이 밤이 되면서 다 같이 자고 있었는데, 그 형제들이 나타나서 이반을 죽였어요. 그리고 엘레나랑 새랑 말을 데리고 갔는데, 늑대가 나타났어요. 근데 이반이 정말 죽은 사람처럼 누워있었어요. 근데 위에서 까마귀 한 마리가 날고 있었어요. 그래서 늑대가 그렇게 얘길 했죠.

"너는 지금 가서 죽인 물이랑 살린 물을 가지고 오지 않으면 난 너의 아이를 죽일 거다."

하면서. 그래서 그 까마귀는 죽인 물이랑 살린 물을 가지고 와서 늑대한테 줬는데, 늑대가 이반한테 있는 상처를 죽은 물로 닦아주면서 그 상처가 또다시 [조사자 1: 상처가 죽어갔구나!] 네. 상처가 또다시 없어지고, 그리고 입 속으로 살린 물을 줘서 이반이 다시 살아났

어요. 그래서 이반이랑 늑대랑 자기 집으로 갔죠.

근데 이반이 너무 억울해서 자기도 형제들을 죽이려고 했어요. 그래서 늑대한테 부탁을 하고 늑대가 그 형제를 죽이고 다시 자기 집으로 가고, 그때 마지막 인사를 했고, 이반이 자기 여인, 엘레나라는 여인과 새랑 말이랑 아버지한테 가서 모든 얘기를 다 했고, 그 아버지는 며칠 동안 되게 슬퍼하면서 결국 다 받아들이고 잘 살게 되었대요.

[조사자 1: 반은 한 게 없네요.] [조사자 2: 늑대가 다 했네?] 이반의 모습이 정말 바보 같은 모습이에요. [조사자 1: 보통 이반이라고 이름 짓는 애들이 다 그런 스타일인가 봐요.] 네, 맞아요. 저도 학교를 다녔을 때 이반이라는 친구가 좀 모자랐어요. (웃음)

'동화가 사실이구나!' (일동 웃음)

그래서 이반이라는 이름 별로 안 지어요. 또 반대로 엘레나라는 이름 있잖아요? 아름다운 엘레나라는 뜻이고 되게 러시아 여자들이 좋아하는 이름이에요, 엘레나.

[조사자 2: 엘레나라고 이름을 하지.] 안나 좋아요. [조사자 1: 안나는 무슨 뜻이에요?] 안나는 은혜라는 뜻이에요, 한국말로 은혜. 그래서 한국이름이 은혜. (웃음) [조사자 2: 그렇구나.]

개구리 공주와 결혼한 이반 왕자 [1]

● **구연정보**

조사일시 : 2017. 01. 05(목) 밤
조사장소 : 부산 사상구 주례동
제 보 자 : 안나가르캅축 [러시아, 여, 1993년생, 유학 3년차]
조 사 자 : 조홍윤, 황승업, 김자혜

● **구연상황**

조사자들이 신화와 영웅에 관한 이야기가 짧게 끝나 아쉬워하자, 제보자는 좀 더 긴 이야기를 해주겠다며 개구리 공주에 관한 이야기를 구연했다. 한국의 〈구렁덩덩 신선비〉와 유사한 모티프를 지닌 이야기로, 전체적으로 완성도 있는 구연이 이루어졌다.

● **줄거리**

옛날 어느 왕이 세 왕자에게 각자 결혼하고 싶은 사람을 데리고 오라 했다. 첫째와 둘째 왕자는 연인이 있었는데 막내인 이반 왕자만 연인이 없었다. 이반 왕자는 신에게 여인을 보내달라고 빌었고, 다음 날 예쁜 여인을 만났다. 여인은 자신이 돌아가고자 할 때 보내준다는 조건으로 하루만 이반 왕자를 도와주기로 했다. 세 왕자가 왕에게 여인들을 소개했는데, 왕은 이반 왕자의 여인을 가장 마음에 들어했다. 이반 왕자는 여인을 보내고 싶지 않아 고민하다가 여인의 방에 놓여 있던 개구리 허물을 태웠다. 그러자 여인은 백조로 변해 날아갔다. 여인을 찾아 길을 나선 이반 왕자는 늑대의 도움으로 카시에의 집에 도착했다. 그는 상자 속 알을 깨고 실을 뽑아 카시에를 죽인 뒤 여인을 구출했다.

[조사자 1: 러시아에 그런 얘기들 많이 들었었는데, 예전에. 이반.] 이름? [조사자 1: 이름이 이반인 사람들 얘기 되게 많이 들었거든요.] 바보 같은. [조사자 1: 음, 바보. 아는 거 있어요, 혹시?] 어, 돌래만화? [조사자

1: 전래만화?] 아, 전래만화. 그런 거 하나 알고 있어요. 〈왕 개구리〉라는 이야기가 있어요.

어떤 왕한테 아들이 세 명이 있었어요. 어느 날 왕이 아들을

'장가를 보내야겠다.'

라고 생각해서

"자기가 결혼하고 싶은 여인을 찾으라."

고 했어요.

그런데 그 제일 형, 큰 형이랑 둘째가 자기가 사랑하는 사람이 있었고 그 여자를 데리고 왔는데, 막내가 그런 사람이 없었어요. 그래서 막내가 저녁에 신한테 이제 여인을 보내달라고 빌었대요. 그랬더니 다음 아침에 되게 예쁜 여인을 만났어요. 그 여인이 한 가지 조건을 말했어요. 자기가

"가야될 때 무조건 보내야 된다."고.

그리고

"딱 하루만 도와줄 수 있다"

고 얘기를 했어요. 그래서 그 막내랑 형제들이 자기 여인을 궁 안으로 데리고 갔어요. 그래서 왕한테 보여줬어요.

"우리는 이런 여자들이랑 결혼할 거야."

"결혼할 거야."

라고 이제 아버지한테 얘기를 했대요.

그런데 막내 여인이 왕, 그 아버지한테 제일 마음에 들었어요. 예를 들어서 자기가 먹던 닭의 뼈를, 여기 뭐라고 하죠? [조사자 1: 소매?] 소매에다가 넣고 이제 춤을 췄어요, 그 여인이. 그런데 (팔을 뻗으며) 이렇게 할 때 왼쪽에서 이제 그 스완이 뭐지? 백스완? 스완? 영어로 스완? 백조? [조사자 1: 아, 스완? 스완. 백조.] 백조가, 그래. 왼쪽 오른손으로 이렇게 했을 때 여기서 이제 백조가 나왔고 오른쪽으로 했을 때 그림이, 예쁜 그림이 나왔어요. [조사자 1: 닭뼈를 집어넣었는데 백조도 나오고?] 네, 백조 나오고 그림이 나왔어요. 그래서 왕이 그걸 보고

"아! 정말 좋은 여인이다. 앞으로 잘 살아라."

라고 했어요. 그런데 그 남자가 알고 있었죠. 자기 여인이 언젠간 떠날 수 있다라는 것을. 그래서 그 남자가 자기 여인의 방 안으로 갔어요. 그런데 거기서 개구리의 가죽을 발견했어요. 그래서 이거는 자기 여인의 거라고 생각을 해서

'태워버려야겠다. 못 가게. 어디도 못 가게.'

그래서 불에 태워버렸는데, 그 순간에 자기 여인이 백조로 바껴서 날라갔어요. 그래서 그 막내 이름이 이반이었어요. 바보 같은 짓을 했어요. 그래서 그때 이반이 자기 여인을 다시 찾기 시작했어요. 가면서 늑대를 만나서 늑대한테 도와주고 또다시 출발을 하고, 다시 여인을 찾고, 그런데 결국은 여인이 카시에Koschei라는 바바야가의 친구, 카시에한테 있었어요. [조사자 1: 아, 잡혀있었어요?] 잡혀있었어요. 그런데 카시에한테 다시 그 여인을 어떻게 내보내기 위해서 알에 있는 실을 뽑아내야 됐어요.● 실. 알에 실을 뽑아내야 됐었는데, 그 실은 어떤 상자 안에 있었고 그 상자는 카시에 집에 있었어요. 그래서 이반이 늑대랑 카시에 집으로 가서 그거를 다 물리쳐가지고 상자를 열어서 알을 깨고 실을 뽑아서 그 순간 카시에는 죽었고 여인이 다시 사람으로 돼서 다시 자기 집으로 데리고 갔대요. [조사자 2: 재밌다. 되게 재밌다. 〈구렁덩덩 신선비〉] [조사자 1: 처음에 그 왕자가 "여자 좀 보내주세요." 한 다음에, 다음날 만났다고 했잖아요? 어디서 어떻게 만난 거예요?] 음,

"아침은 저녁보다 지혜롭다."

라는 말이 있어요. 그 말이 그 동화에서 나온 이야기예요. 왜냐하면 이반이 계속 저녁에 보내달라고 빌었잖아요? 근데 아침에 일어나고 보니까 문제가 해결됐어요. 그 여인을 길거리에서 만난 것 같아요.

[조사자 1: 너무 예뻐서 "너 나랑 결혼하자!" 그런 거예요?] 네.

● 카시에(코셰이, Koschei)는 자신의 영혼을 실처럼 가늘게 만들어서 몰래 숨겨 놓음으로써 불멸하는 존재로 알려져 있다. '알에 있는 실을 뽑는다.'는 것은 카시에가 숨겨 둔 그의 영혼을 찾아내어 퇴치한다는 의미이다.

[조사자 1: 중간에 늑대를 도와준다고 했잖아요? 어떻게 도와줬어요?] 그건 잘 모르겠어요. (웃음)

개구리 공주와 결혼한 이반 왕자 [2]

● **구연정보**

조사일시 : 2018. 10. 11(목) 오후
조사장소 : 경기도 오산시 은계동
제 보 자 : 김알라 [러시아(고려인3세), 여, 1977년생, 결혼이주 5년차]
조 사 자 : 김정은, 강새미, 엄희수

● **구연상황**

김알라 제보자가 〈뼈 괴물 카시 비스미야르트니를 죽이는 법〉을 구연한 뒤 일본의 치카코 제보자가 〈천녀옷과 피리〉를 구연했다. 조사자가 김알라 제보자에게 바바야가가 나오는 이야기를 청하자, 제보자가 이 이야기를 23분에 걸쳐 구연했다. 치카코 제보자가 청자로 참여했다.

● **줄거리**

옛날에 아들 삼형제를 둔 왕이 있었다. 어느 날 왕은 아들들에게 들에서 화살을 쏜 뒤 화살이 떨어진 곳에 있는 여자와 결혼하라고 했다. 첫째와 둘째는 부잣집 딸과 결혼했는데, 셋째 이반 왕자의 화살은 숲속 늪에 사는 개구리에게 떨어졌다. 개구리는 이반 왕자에게 자신을 데려가라고 했고, 이반은 그 말대로 개구리 여인과 결혼했다. 왕은 세 며느리를 시험하기 위해 셔츠 만들기와 빵 만들기 과제를 냈는데, 개구리 신부가 만든 것이 일등을 했다. 왕은 며느리들을 궁에 데리고 오게 했고, 개구리 신부는 아름다운 모습으로 변해서 사람들 앞에 나섰다. 이반 왕자가 아내가 벗어놓은 개구리 허물을 불에 태우자 신부는 사흘만 기다리면 됐었다고 책망하면서 뻐꾸기가 되어서 날아갔다. 아내를 찾기 위해 길을 떠난 이반 왕자는 아내가 사실은 공주였으며 너무 똑똑한 탓에 아버지의 저주로 개구리가 된 사실을 알게 되었다. 바바야가는 이반에게 카시 비스미야르트니를 죽여야 아내가 공주로 돌아올 수 있다고 했다. 이반은 길에서 곰과 토끼, 오리를 구해줬고 그들의 도움을 받아서 카시 비스미야르트니를 죽일 수 있었다. 이반은 아내를 되찾아서 오래도록 행복하게 살았다.

개구리 공주? 개구리 공주에서도 나오고요. 개구리 공주는 어떻게 되냐면은, 옛날에 옛날에, 어떤 왕자가 살았는데 아들 세 명 있었어요. 그 아들은 벌써 뭐 결혼할 나이 되었을 때는, 아버지가 이렇게 말했어요.

"지금 결혼해야 되는데, 그냥 여기 필드, 들에서 나갔다가."

이렇게 활을 던져요? [조사자 1: 네, 활, 화살 던져요.] [조사자 2: 쏴요.] 쏴요. 어, 아무데나. 어디 떨어지면은 거기서 신부를 뭐, 찾아요.

그래서 근데 그 세 명 있었는데 마지막이 이반, 이반 짜레비치 царéвич(왕자), 이반 왕자인데. 힘세잖아요. 그래서 막 엄청 멀리 던져가지고 그래서 어디 있는지 계속 찾아봐도 없어요. 근데 큰아들은 찾았어요. [조사자 1: 바로 앞에 던졌으니까?] 네. 어떤 부잣집의 딸. 둘째도 어떤 부잣집의 딸. 근데 이반 짜레비치만 계속 가도 가도 없는, 숲에 들어갔다가 그 숲에 물도 아니고 그냥 아예 빠지는. [조사자 1: 늪처럼.] 그런 거 있잖아요.

거기서 개구리들 있는 거. 거기서 막 보니까 개구리가 안고 있어요, 잡고 있어요. 그래서 막 기분이 다운. 개구리잖아요. 그래서 아가씨도 옆에 없잖아요. 그래서 기분이 없어져가지고. 그래서, 근데 개구리가 말로, 사람 말로 말했어요.

"괜찮다. 뭐 이렇게 다운하지 마라. 나를 가져가라. 데려가라. 그래서 아침에 보면은 더 좋은 일 생길 수 있다."

러시아에서 그런 말 있어요. '어떤 안 좋은 일이 생기면은, 그러니까 지금 그렇게 슬프게 하지 말고, 지금 푹 쉬고 아침에 더 깨끗한 머리로 생각하면은 더 잘 풀 수 있다.' 그런 거 있어요.

그래서 이렇게 허락 받아가지고, 아빠한테. 그 개구리한테,

"개구리야, 개구리야 내 활을 좀 돌려줘라."

그랬는데,

"나랑 결혼해."

개구리가,

"결혼하자."

이랬는데. 그러니까,

"그게 말도 안 되잖아. 너 개구리잖아."

이랬는데.

"아니야, 아니야. 내가 너의 운명이다. 데려가라."

이랬어요. 이랬는데. 말 잘 듣고 같이 집에 갔는데, 그래서 어쩔 수 없으니까. 이렇게 결혼했어요. 결혼했는데 근데 아버지가 신부를 못 봤어요. 결혼하긴 했는데 신부를 아빠가 못 봤어요. 그래서 아버지가 이렇게 심부름시켰어요.

"이제는 이렇게 결혼했으니까 어떤 아들의 신부가 솜씨가 더 좋은지 보고 싶다. 그래서 내일까지 내 셔츠 좀 만들어줘라."

이랬는데, 막 또 이반이 기분 다운. (웃음) 집에 왔는데,

"또 왜 이래?"

하니까,

"내일까지, 아침까지 셔츠 만들으래요."

"아, 괜찮다. 그냥 푹 쉬고 아침에는 더 좋은 일 생긴다."

그랬는데, 그래서 이반은 잠들었는데 개구리가 베란다에 나갔는데. 그 껍질? [조사자 1: 허물을 벗고] 허물을 벗고요, 예쁜 아가씨. [청자: 역시 예쁜 아가씨.] 그래서 이름이 바실리사빠리무드라예요. 바실리사 그냥 이름인데, 러시아 이름인데, 빠리무드라. 똑똑한 와이즈wise. 똑똑한 거예요. 클레버clever보다 와이즈wise. [조사자 1: 지혜로운.] 바실리사, 와이즈 바실리사. 그래서 이렇게 박수하고 막 소리쳤어요. 막,

"엄마들!"

아이 보는 강사? [조사자 1: 유모.]

"유모들! 뭐 모여라. 내일까지, 내일 아침까지 우리 아빠 똑같이 셔츠 있는데, 똑같이 똑같은 거 만들어."

이랬는데 이반은 아침에 일어나 보니까, 셔츠 다 됐어요. 되게 아름답고. 그래서 막 가져가고요. 아빠한테, 아버지한테 갖다 줬는데. 그래서 아빠가 왕자님이 큰아들 셔츠 봤는데,

"뭐, 괜찮다. 그냥 기분 안 좋을 때 대충 입을게. 입는 거다."

이랬는데. 둘째 거 보니까

"이거는 목욕할 때 입을 거다."

그래서 셋째 옷, 이반 있잖아요. 막 보니까 금도 있고, 은도 있고 막 무늬 뭐 여러 가지 있는데. 막 예쁜 거 하고.

"오, 그러면 이거는 행사 때, 명절 때 입는 거다."

이랬는데. 그래서 그때는 큰아들이랑, 형이랑 둘째 형이랑 그 이반 개구리랑 결혼할 때는 막 웃었어요.

"아, 너 개구리랑 결혼한다."

웃었어요. 웃었는데 근데 이번에는 이렇게 됐으니까

"우리 괜히 웃었다. 이렇게 되었는데."

[조사자 1: 능력이 있는데.] 네. 그래서 아, 이번에는 왕자님(왕)이 아들들한테 이제는 빵 만들어라. 쿠킹도 잘하는지 보고 싶다. 그랬는데 또 이반이 기분이 다운됐는데 레구시카Лягушка(개구리)도 비슷해요. 반복돼요.

"왜 이래요? 푹 쉬면 내일 좋은 일 있을 거예요."

그래서 이번에도 똑같이 (허물을) 벗고, 그 엄마들, 유모들 시켰는데. 근데 이번에는 큰아들이랑 둘째 아들이랑 그 신부들 있잖아요, 그 부인들.

"뭐가 있는 것 같다."

그런 눈치챘어요. 그래서 보려고 그랬어요. 막 이렇게. [조사자 1: 엿봤어요.] 왔는데, 근데 바실리사빠리무드라 똑똑하잖아요. 그래서 그 바실리사도 눈치챘어요. 그래서 어, 이렇게 뭐 보고 있는 거 알면서 그냥 그 반죽 있잖아요. 뭐 무슨 이상하게 만들었는데 막 무슨 [조사자 1: 보고 있는 줄 알고] 이상하게 만들었는데. 그래서 보고 갔어요. 똑같은 걸로 만들려고. 근데 이번에는 엄마들, 유모들 시켰는데.

"내일 아침까지 이렇게 부드럽고 흰 빵 만들어라. 우리 아빠 집에서 먹는 빵, 똑같이."

그래서 아침에 보니까 이반이 일어났는데 빵이 되게 여러 가지 종류도 있고. 그 무슨 도시 모양, 도시 모양도 있고. 가져갔어요. 그러니까 큰아들, 왕자님이 큰아들 빵 보니까 그냥 부하들? 부하들한테 줬어요. 그냥 줬는데. 그 둘째도 그러고. 근데 셋째, 이반 빵 보니까,

“어 이거는 명절 때 먹는 빵이다.”

이랬는데, 이번에는, 그러면 다음에 우리 파티 같은 거, 러시아 말로는 피르. 한국말로 하면은 파티? 반키엣banquet. [조사자 1: 잔치?] 네, 이렇게 모여서 맛있게 먹고.

“그래서 우리 이제는 같이 와요. 신부랑 같이 오라.”

고 했어요. 그래서 얼마나 예쁜지 보려고. 그래서 이번에도 이반이 다운. [조사자 1: 개구리잖아요.] 그래서 이반에게,

“왜 이래? 뭐, 똑같은 거?”

“아니야. 너 내일 거기 같이 오라고 했어요.”

그래서,

“아니, 그냥 푹 쉬고 내일은 먼저 가.”

먼저 가라고 했는데,

“혹시 아주 뭐 시끄러운 소리 나면은 그냥 그런 말 해. ‘그건 그냥 우리 개구리 어떤 박스 타고 오고 있다.’”

그래서 다음 날에 와보니까 뭐 큰형, 둘째 형 되게 예쁘게 입고 멋지게 신부랑 같이 예쁘게 왔는데, 근데 (이반 왕자는) 혼자 왔잖아요. 그래서,

“부인이 어디 있냐?”고.

물어봤는데,

“어! 이따가 온다.”

그랬는데, 갑자기 막 소리가 크게 나가지고 식탁까지 흔들려가지고

“뭐야?”

다들 놀랐는데

“아니야, 그냥 괜찮다. 우리 개구리 어떤 박스 타고 오고 있다.”

그랬는데, 그래서 보니까 다들 막 궁금하잖아요. 그래서 밖에 보니까 어떤 멋진, 옛날에 신데렐라 같은, 막 금색이고 또는 여섯 마리 말? 흰색이고. 막 멋지고. 그래서 막 나올 때는 드레스가 하늘색이고, 별 있고, 여기는 달? 근데 얇게 있는 거. 그것도 있고, 아주 예쁘고 동화책에서 나오는 것처럼.

그래서 나왔는데, 근데 바실리사빠리무드라 공주님이, 개구리 공주님이, 와인 마셨는데 끝까지 안 마셨고, 왼쪽 소매에 이렇게 넣었어요. 그래서 고기도 먹을 때 다 먹지 않고 뼈다귀 오른쪽 소매에 넣었어요. 그래서 큰아들이랑 둘째아들이랑 그거 봤어요. 또 똑같이 했어요. 했는데, 혹시 뭐 묻을까 봐. 했는데.

그 나중에 다 먹고 러시아에서 그런 거 있잖아요. 다 먹고 그냥 춤 춰요. 그래서 춤 출 때는 다들 그 춤추고 있었는데, 바실리사빠리무드라는 춤 출 때, 왼손으로 이렇게 막 웨이브, 웨이브 하는데 여기는 막 와인 나왔지만 그게 호수 되었어요. 애니메이션도 있는데. [조사자 1: 호수가 막 물이 뿜어 나와요?] 호수. 그리고 막 춤 추다가 이렇게 웨이브 하고. 여기에서는 막 뼈다귀, 근데 뼈다귀 아니고 백조? 백조 막 나와서 그 호수의 백조. 마법 그런 거. 다들 손님들 다 신기하고.

그리고 큰아들이랑 둘째 아들이랑 신부들도 이렇게 하려고 그랬는데, 왼손이 던질 땐 손님들 다, 와인, 눈에. 이렇게 되어가지고. 그래서 다 묻어가지고. 오른손에는 그 뼈다귀가 왕자의 눈에 들어가고요. 그래서 왕자가 막 화났어요. 그래서 쫓아냈어요. 첫째하고 둘째, 신부들.

근데 그동안 그 이반, 이반 왕자님이 처음 봤잖아요. 이렇게 예쁜 아가씨. 그래서 개구리였잖아요? 무조건 개구리였는데 왜 이렇게 됐을까? 그 집에 갔는데, 거기서는 개구리 가죽 있잖아요. 그거 찾아가지고 태워버렸어요. 그래서 막 음, 바실리사빠리무드라 부인이 집에 왔는데, 막 없다. 개구리 가죽이 없는데, 그래서 막 그 슬퍼져가지고 그래서,

"너 어떻게 이렇게 됐어? 왜 이렇게 그렇게 했냐? 조금만, 딱 3일 남았는데 그거 3일만 기다리면은 내가 완전 평생 같이 살 수 있었다. 그런데 지금은 이렇게 됐으니까 굿바이. 이제 잘 있어라. 안녕히 계세요."

이랬는데

"혹시 찾고 싶으면은 어디 멀리멀리."

러시아 말로는 (러시아어로 말하며) 그거는 '아주아주아주 멀리' 그런 뜻이에요. (러시아말로 말하며) 댁에서. 그러니까 이렇게 말하고. 뻐꾸기 새로 변해서 날아갔어요. 그래서 이반 왕자님이 막 슬퍼져가지고 어쩔 수 없으니까 좀 울었어요. 울었는데, 어쩔 수 없으니까 찾으러 갔어요. 찾으러 갔는데, 벌써 옷도 얇아져가지고 구멍도 뚫렸고, 부츠도 다 낡아졌고. 옷이 다 낡아졌어요. 갑자기 계속 계속 찾으려고. 갑자기 어떤 할아버지가 나타났어요.

"안녕하세요, 총각. 젊은 사람. 무얼 찾고 있냐? 어디로 가고 있냐?"

물어봤는데, 그래서 이반이 얘기했어요. 뭐, 어떻게 어떻게 했는데, 그 할아버지가

"아, 이반. 너 왜 그거 태워버렸어? 그런 거 안 하면은 같이 살 수 있었는데. 자기 거 아니잖아. 왜 그렇게 했어?"

했는데. 그러니까 원래 어떻게 됐냐면은 바실리사빠리크라스나 아빠가 되게 똑똑했어요. 근데 너무 똑똑했어요. 아빠 화날 정도로. 아빠보다 똑똑했어요. 네, 그래서 아빠가 화나 가지고, 열 받아가지고 딸, 자기 딸 또 똑똑해요.

"삼 년 동안, 개구리, 너 개구리로 변해서 이렇게 살아."

이렇게 아빠가, 친아빠가. 그래서 이렇게 됐는데, 근데 할아버지 뜨개실? 그런 거 줬는데, 이반한테, 그 할아버지가. 그래서,

"이거를 던지고, 어디 가면은 떨어지면은 그냥 그대로 따라가."

그러니까,

"따라가라."

고 했는데, 그걸 계속 따라갔는데 숲에 들어갔어요.

그다음, 들. 큰 들에 왔는데 곰, 나타나가지고 그래서 이반이 죽이려고 그랬어요. 그런데 곰이 말로 갑자기 했어요.

"나를 죽이지 마라. 나중에는 내가 도와줄 거다."

그래서 안 죽였어요. 똑같은 걸로, 어떤 그 뭐지? 토끼도 보고 죽이려고 그랬는데, 밥 먹어야지, 배고프니까. 그래서 토끼도 그렇게 말했어요.

"나를 안 죽이면 나중에 도와줄 거다."

그리고 씨엘리진се́лезень(수컷 오리), 닭, 오리의 남자? 수탉? 오리의 남자? 어떻게 해요? [조사자 2: 그냥 오리.] 남자 오리. [조사자 1: 수컷인 오리가.] 네네. 왜냐하면 그 바늘 있잖아요. 그 바늘이 오리의 여자의 안에 있었어요. 왜냐면 러시아말로 오리 여자, 오리 남자 따로 말 있어요. 단어 있어요. 그래서 안 죽이고. [조사자 1: 죽이지 않은 건 수컷인 거죠?] 네네. 나중에는 그 바닷가, 바닷가까지 갔는데, 바닷가 보니까 슈카щу́ка●. [조사자 1: 슈카는 물고기.] 네, 이빨 있는. 누워 있었어요. 그래서 이반한테 말했어요.

"나한테 좀 도와줘라. 좀 던져줘."

그래서 도와줬는데, 그다음에 그거 실 계속 따라갔는데 보니까 어떤 (러시아어로 말하며) 그 집, 닭발 있는 집●● 있잖아요. [조사자 1: 아, 네. 바바야가가 사는 집.] 그래서 막 갑자기 하는데, 돌아서, 돌아서, 돌고 있었어요. 그런데 이반이 뭐 이즈부시카●●●, 이즈부시카, 집, 집. 그냥 이름으로 불렀는데,

"나한테 앞으로 얼굴, 뒷모습은 뒤로 돌려라."

그랬는데 이즈부시카가 이렇게 돌았는데, 이반 들어갔어요. [조사자 1: 네, 그 집으로.] 거기 보니까 바바야가 있었어요. 그래서 바바야가가,

"너 왜 뭐 하러 왔어? 뭐 원해?"

이랬는데, 근데 이반이 화났어요.

"그거 나한테 왜 물어. 일단 좀 밥 좀 먹이고, 목욕시키고 그다음에 재워 주고 이렇게 해야 나중에 나는 답할게."

이렇게 했어요. 밥 먹고 뭐 했는데. 나중에는 뭐 이렇게 바실리사빠리크라스나 얘기했어요. 그래서 바바야가, 여기 바바야가는 착한 역할로 나왔어요. 도와줘요. 그래서

● 러시아어로 슈카(щу́ка)는 창꼬치를 뜻한다.

●● 바바야가는 닭 다리 위의 오두막집에 산다.

●●● 바바야가의 닭 다리 위의 오두막집 이름을 뜻한다.

"아, 알아, 알아. 네 부인이 지금 집에 있는데 근데 그렇게 쉬운 일이 아니다."

그래서 그 바늘 얘기했어요. 어떻게 죽일 수 있는지. 어, 그러니까 거기는 밤이에요. 밤에 자고 아침에 일어났는데 바바야가가 알려줬어요. 그 나무 어디에 있는지. 그래서 그냥 갔는데, 이반이 찾았어요. 그 나무 찾았는데 근데 상자 있잖아요, 밑에 상자 있는데. 되게 못 꺼냈어요, 힘들어서.

그 이번에는 갑자기 곰 나타났어요. 도와줬어요. [조사자 1: 아, 상자를 꺼내줬군요.] 도와줬는데, 그래서 어떻게 도와줬냐면은 그 나무를 이렇게 통째로 꺼냈어요. 그래서 그 상자가 빠져가지고 깨졌어요. 상자에서 토끼가 나왔는데 막 뛰고 뛰었어요. 토끼 살려준 토끼 있잖아요. 따라가고, 따라가고 잡아가지고 찢었어요. 토끼가 두 개를. [조사자 1: 토끼가 토끼를요? 네.] 그래서 거기에서 오리 여자가 나왔는데, 그래서 오리 남자가 잡았어요. 그래서 잡았는데, 그 오리에서 계란이 떨어졌어요. 떨어졌는데, 그 바다에 떨어졌어요. 그래서 이반이 보니까 막, 울었어요.

이제 생각이 나요. 어렸을 때는,

"자꾸 왜 울어?"

그랬는데. 뭐 그것도 울어, 저것도 울어. 또 뭐,

"빵 만들어라."

뭐 또 울어요. [조사자 1: 지금 얼마나 과제가 많아요. 이반한테.] 그래서 이랬는데, 갑자기 보니까 물고기 있잖아요, 입에 계란 들고 왔는데, 나타났어요. 그래서 이반한테 줬는데 이반이 깼어요. 근데 아, 깨질려고 그랬는데, 깼는데 바늘 꺼냈어요. 꺼냈는데, 근데 못 부러졌어요. 못 부러졌는데, 이렇게도 저렇게도 해봤는데 안 돼가지고. 근데 맨 끝에 부러졌어요. 드디어.

그래서 그때는 카시 비스미야르트니● 죽었어요. 죽었는데, 그 왕국? 왕국, 카시 비스미야르트니 집 있잖아요. 거기서 막 다 이제 마

● 해골과 같은 모습을 하고 있는 불사의 괴물이다.

법이 다 빠져가지고 없어져가지고 바실리사빠리무드라(바실리사빠리크라스) 거기서 뛰어나왔어요. [조사자 1: 공주가요?] 네, 그리고 뽀뽀했어요. 이반이랑. (웃음) 그리고 죽을 때까지, 아니 늙을 때까지 완전 늙을 때까지 같이 행복하게 살았다.

[조사자 1: 엄청난 이야기예요. 재미있죠? 너무 길어요. (청자를 보며) 깜짝 놀라셨죠? 이런 얘기들이 되게 많아요. 고생하셨어요. 얘기 하시느라고.]

양치기 소년 이반의 피리 소리

● **구연정보**

조사일시 : 2018. 01. 16(화) 오전

조사장소 : 서울시 관악구 남현동

제 보 자 : 김알라 [러시아, 여, 1977년생, 결혼이주 5년차]

조 사 자 : 김정은, 황승업, 강새미

● **구연상황**

우즈베키스탄의 박빅토리아 제보자가 이야기 구술을 마친 뒤 조사자가 김알라 제보자에게 이야기 구술을 부탁하자 이 이야기를 구술해 주었다. 동화구연대회 때 구연할까 고민했던 이야기로, 딸과 함께 한국어로 번역 작업을 했다고 했다. 박빅토리아 제보자가 이야기를 함께 들었다.

● **줄거리**

옛날 한 마을에 가난한 노부부에게 이반이라는 아들이 있었다. 이반이 피리를 불면 사람들이 눈물을 흘리기도 하고 춤을 추기도 했다. 무럭무럭 자란 이반은 돈을 벌기위해 길을 떠났고, 어느 집에서 양치기 일을 하게 되었다. 주인 남자는 이반에게 만약 양을 한 마리도 잃어버리지 않으면 돈을 더 줄 것이고, 양을 한 마리라도 잃어버리면 돈을 주지 않겠다고 했다. 이반이 일을 잘 해내자 돈을 주기 싫었던 남자는 어떻게 이반이 양을 잃어버리지 않았는지 알아보기 위해 양털을 뒤집어쓰고 몰래 양떼 속에 숨었다. 이를 눈치챈 이반이 피리를 불자 남자는 저절로 춤을 추다가 지쳐서 들키고 말았다. 남자한테 그 말을 들은 아내는 자신은 춤추지 않을 자신이 있다고 했다고 했지만, 그녀 또한 이반의 피리 소리에 춤을 출 수밖에 없었다. 여자는 이반에게 돈을 줄 테니 피리 연주를 멈추라고 했지만, 이반은 밤새 피리를 연주했다. 다음 날 주인 내외에게 돈을 받은 이반은 기쁜 마음으로 집으로 돌아왔다. 주인 내외는 부끄러워서 집밖으로도 나오지 못했다.

옛날 어느 마을에 할머니와 할아버지가 살았어요. 할머니와 할아버지는 많이 가난했답니다. 그들에게는 이반이라고 하는 아들이 있었어요. 어렸을 때부터 이반은 피리 부는 것을 좋아했죠. 많은 사람들이 그의 연주를 좋아했어요. 슬픈 노래를 불기만 하면 모두가 눈물을 흘렸고, 신나는 노래를 부르기만 하면 모두가 춤을 추었어요.

이반은 무럭무럭 자라 어느 날, 할아버지와 아버지와 어머니에게 말했어요.

"어머니, 아버지. 돈 벌러 갔다 올게요. 일하고 받는 돈은 모두 어머니 아버지께 드리고 싶어요."

이반은 부모님과 인사하고 곧바로 집을 떠났어요. 얼마 가지 않아 어느 시골에 도착했지만 아무도 이반에게 일을 주지 않았죠. 이반은 더 멀리 떠났어요. 걷고 또 걸어가다, 걸어가다 어느 마을에 도착했어요. 집집마다 지나가면서 물어 봤죠.

"일하고 싶습니다. 저에게 일을 맡겨 주실 사람 누구 없나요?"

한 집에서 아저씨가 나와 이반에게 말했어요.

"양들을 봐주는 일 할 수 있겠는가?"

"네, 당연히 할 수 있죠. 어려운 일도 아닌 걸요."

"그럼 어려운 일은 아니지. 다만 조건이 하나 있어. 네가 일을 잘하면 돈을 더 줄게. 하지만 만약 한 마리라도 잃어버린다면, 돈 없이 널 쫓아낼 거야!"

"네, 절대 잃어버리지 않겠습니다."

"그래. 그럼 조심하도록 해."

그들에게 대화가 끝나고 이반은 양치기 소년이 되었어요. 매일 밤에 나가 해가 나오면 돌아왔죠. 소년이 오면 들판에서 기다리고 있던 주인아주머니와, 아 주인아저씨가 양들을 세었어요.

"양 한 마리, 두 마리, 세 마리, 열 마리, 스무 마리, 쉰 마리."

양들은 모두 잘 있었어요.

이렇게 한 달이 지나고, 두 달이 지나 세 달이 지났어요. 곧 소년에게 돈을 줘야할 때가 되자, 아저씨는 생각에 빠졌답니다.

'도대체 어떻게 한 마리도 잃어버리지 않은 것일까? 조금 있으

면 돈을 더 줘야할 텐데. 무슨 일인지 알아내겠어.'

모두가 자고 있을 때 아저씨가 양털 옷을 입고 나갔어요. 아저씨는 양들 사이에서 네 발로 서서 소년이 나타날 때까지 기다렸죠. 해가 뜨자 이반이 와서 양들을 몰았어요.

"메, 메."

양들이 뛰어갔어요. 그러자 아저씨도 '메, 메' 소리를 내면서 네 발로 같이 뛰었죠. 뛰면서 아저씨는 생각했어요.

'좋아. 이제부터 소년의 비밀을 알 수 있겠군.'

하지만 아저씨가 까마득히 모르는 것이 있었어요. 사실 이반은 아저씨를 봤지만 모른 척하고 있었던 거예요. 이반은 양들을 몰면서 가끔 채찍, 채찍질을 했어요. 괘심한 듯 일부로 아저씨 등에다가 채찍, 채찍질을 했죠.

이반은 양들을 넓은 들판에 몰고 나무 밑에서 빵을 먹었어요. 양들은 뛰어다니면서 풀을 뜯고 놀았죠. 이반은 양들을 지켜보다 양들이 숲속에 들어가려고 하면, 피리를 꺼내 불었죠. 그러면 숲속으로 가려고 했던 양들이 이반에게로 돌아왔죠.

아저씨는 계속 네 발로 걸으면서 풀을 먹는 듯이 머리를 땅에 박았어요. 아저씨는 양을 따라하는 것이 힘들지, 힘든지 '헥, 헥'거렸어요. 하지만 여기서 소년에게 들키기라도 하면 온 동네에 소문이 날까 봐 걱정이 되었어요. 양들이 배불러질 때쯤 이반은 피리를 꺼내면서 말했어요.

"자, 다들 이제 배부르고 행복하지? 그럼 이제 춤이나 춰 볼까."

그리고는 신나는 노래를 연주하기 시작했어요. 그러자 양들이 발을 꿇으면서 춤을 추기 시작했죠. 무엇을 먹지도, 기분이 좋지도 않았던 아저씨도 벌떡 일어났어요. 그리고는 팔과 다리를 여기저기 흔들면서 덩실덩실 춤을 추기 시작했답니다.

이반은 점점 더 빠르게 연주했어요. 양들도 아저씨도 이반을 따라 더 빨리 춤을 췄죠. 아저씨의 땀을 뚝뚝 떨어지고 얼굴은 빨개지고 머리카락은 왔다갔다 흔들렸어요. 지친 아저씨가 온 숨을 내어 소리 질렀어요.

"소년 제발 그만해. 너무 힘들어."

이반은 들리지 않는 척 연주를 계속하다가 멈췄어요.

"아이고, 주인아저씨 여기 계셨어요?"

"그래."

"어쩌다 여기 오셨어요?"

"우연히 지나가다."

"양털 옷을 왜 입으셨어요?"

"추워서."

아저씨는 빠르게 대답하고 휙 가버렸어요.

집에 터덜터덜 온 아저씨가 힘없이 아내에게 말했어요.

"여보, 소년에게 빨리 돈을 주자."

"왜? 지금까지 아무에게도 주지 않았잖아. 그 소년은 왜?"

"안 돼. 그랬다가 소년이 이웃들에게 다 말해버릴 거야. 그리고 나는 다신 춤추기 싫어!"

숨 한 번 푹 쉬고 소년의 피리 연주 때문에 죽을 만큼 춤췄던 일을 얘기 했어요. 아저씨의 말을 들은 아주머니가 말했어요.

"멍청한 짓을 왜 한 거야? 나는 절대로 춤추게 할 수 없을 거야. 그 소년이 도착하거든 연주해달라고 할 테니까 어떻게 되나 잘 봐!"

아저씨는 간절하게 아내에게 부탁했어요.

"다신 춤추기 싫어. 날 나무상자에 넣어서 뚜껑 닫고 위층에 두고 가줘."

아주머니는 마지못해 부탁을 들어줬어요. 나무상자에 넣어 위층에 두고 소년이 올 때까지 기다렸어요. 소년이 오자 바로 물어봤죠.

"네가 피리 불면 모두 춤을 춘다는데 정말이니?"

"그럼요."

"그래? 그럼 한번 어디 불어 봐!"

"네."

하고 대답한 이반은 피리를 꺼내어 신나는 노래 연하기 시작했어요. 그때 아주머니는 반죽을 만들고 있었는데, 이반이 피리를 불자 참지 못하고 춤추기 시작했죠. 춤을 추면서 왼쪽 손, 오른쪽 손 번가,

번갈아 가면서 반죽을 만졌어요. 이반은 점점 더 빨리 불었어요. 그러자 아주머니도 점점 더 빨리 춤을 췄죠. 위층 나무상자에 있던 아저씨도 상자 속에서 춤추기 시작했어요. 좁은 상자에서 쿵쾅쿵 부딪히면서 춤을 췄어요. 그러다가 머리로 쾅 뚜껑을 부수고 아주머니가 있는 아래층으로 굴러서 춤을 췄죠. 아주머니와 함께 팔, 다리 흔들면서 덩실덩실 춤췄어요.

이반은 문 앞에 앉아 멈추지 않고 연주했죠. 이반이 나가자 아주머니와 아저씨도 그를 따라 마당에 가서 춤을 췄어요. 너무 힘들어도 멈출 수가 없었어요. 주인들을 본 닭들도 춤을 추고, 양, 소, 개까지 춤추기 시작했죠. 이반은 일어서더니 밖으로 나가고, 모두 그를 따라갔어요. 얼굴색이 안 좋아진 아주머니가 이반에게 정신없이 말했어요.

"소년, 제발 멈춰줘! 밖으로 나가지 말아줘. 마을사람들 앞에서 망신 주지 말아줘. 정직하게 약속한대로 돈은 줄게!"

"에이, 그렇게는 안 되겠네요. 착한 마을사람들을 웃게 만들어 줄 거예요."

밖으로 나간 이반은 더 크게 연주했어요. 아주머니와 아저씨 그리고 닭, 소, 개는 더 커다랗게 춤을 췄죠. 폴짝폴짝 쿵쿵쿵, 이리 뛰고 저리 뛰어다녔어요. 그러자 마을사람들이 구경하러 나왔죠. 이반은 저녁 늦게까지 피리를 불었어요.

다음 날 아침, 이반은 돈을 받고 기쁜 마음으로 어머니와 아버지에게로 갔어요. 아저씨와 아주머니는 너무 부끄러워 집에서 나오지 못했죠. 못된 사람은 부끄러워하고, 성실한 사람은 행복해졌답니다.

소원 들어주는 물고기 슈카와 게으른 아들 [1]

● **구연정보**

조사일시 : 2016. 11. 19(금) 오후
조사장소 : 서울시 중구 을지로 러시아거리
제 보 자 : 우정부 [러시아, 남, 1941년생, 영주귀국 7년차]
조 사 자 : 조홍윤, 황승업, 김자혜

● **구연상황**

제보자는 본격적인 설화 구연에 앞서 증조부부터 이어진 러시아 고려인의 이주역사와 본인의 러시아 생활에 대하여 구술했다. 생애담 구연이 어느 정도 마무리 된 후, 러시아의 옛 이야기를 알고 있느냐는 조사자의 질문에 설화 구연을 시작했다. 이 이야기는 제보자가 초등학교에 다닐 때 들었던 러시아의 대표 옛이야기라고 했다.

● **줄거리**

삼형제 중 막내인 예밀레가 난로 위에만 누워있자, 형수들이 물을 길어오라고 시켰다. 호수로 물을 길러 간 예밀레는 슈카라는 물고기를 잡았는데, 살려주면 소원을 들어주겠다는 말에 예밀레는 슈카를 놓아 주었다. 얼마 뒤 예밀레가 소원을 빌어서 저절로 움직이는 썰매를 타고 나무를 하러 갔는데, 이것을 많은 사람들이 보게 돼서 결국 왕의 귀에까지 들어가게 되었다. 왕이 예밀레를 잡아오도록 했지만 예밀레는 소원을 빌어 장작이 병사들을 때리게 했다. 그러자 왕은 지혜로운 신하를 보냈다. 신하가 자신을 따라가면 예밀레가 좋아하는 옷과 신발, 모자를 주겠다고 꾀자, 예밀레는 벽난로를 타고서 궁으로 날아갔다. 궁에서 공주를 본 예밀레는 소원을 빌어 공주가 자신을 좋아하게 만든 뒤 다시 집으로 돌아왔다. 예밀레가 떠나자 공주는 예밀레를 보게 해달라고 울고불고 소리쳤다. 화가 난 왕은 다시 신하를 보내 예밀레를 취하게 만든 뒤 공주와 함께 통에 넣어 바다에 던져버렸다. 술에서 깬 예밀레는 소원을 빌어 육지로 올라왔고, 궁전을 지어 공주와 함께 살았다. 어느 날 왕이 못 보던 궁전이 생긴 것을 보고 화를 내자 예밀레가 왕을 궁전으로 불러 술과 음식을 대접하면서 자기가 벽난로를 타고 궁을 찾았던 사람이라고 말했다. 이 말을 듣고 놀란 왕은 살려달라며 공주와 왕국을 내주었다. 예밀레는 공주와 결혼한 뒤 왕국을 통치하고 살았다.

할아버지가, 영감이 하나 살았는데 아들이 서이여. 둘은 좀 똑똑하고, 세 번째는 바보 '예밀레'라고 하는데, 이름이. 둘이는, 아들 둘은 밭에 가서 일하고 하는데, 예밀레라고 하는 바보놈은, 그놈은 집에 누워서 일도 안 해요. 러시아는 엮어가지고 벽, 저거 저 그거 뭐라 해요? [조사자 2: 짚?] 아니, 벽돌 가지고, 난로? [조사자 2: 아, 벽난로.] [조사자 1: 페치카• 같은 거?] 페치카, 그거. 거기 올라가서 그냥 누워 있단 말이에요.

한번은 그 아들들이 시장에 나가서 말이에요. [조사자 3: 목사님, 그냥 편하게 기억나시는 대로 하셔도 돼요.] 네, 네. 그래 그 아가씨들이, 색시(형수)들이, 새악시들이,

"예밀레야 너 물 길러 갔다 와."

"어, 못 가겠어. 안 돼. 이 난로에서 내려가기 싫어." (일동 웃음)

"갔다 와야 돼. 왜 그런가 하면, 너 형제들이 시장에 가서 맛있는 걸 사오잖아. 물 길러 안 갔다 오면 안 사와."

그래 갔단 말입니다. 내려 와서 가서 물 긷는 그거 뭐라 해요? [조사자 2: 양동이?] 응? [조사자 2: 양동이.] 양동이, 물동이. 그거 가지고, 그다음에는 도끼 가지고 갔지요. 그런데 겨울이니까 강물이 얼었지요. 얼어서 그 강물을 도끼로 파서 그다음에 물을 길으는데, 무엇이 잡히는가 하면 슈카щýка••. [조사자 3: 슈카?] 슈카, 슈카 그런 물고기가 잡혔어요. [조사자 1: 잉어?] 아니요. 잉어는 아니에요. 슈카라고 큰 러시아의 물고긴데. 다른 고기들 잡아먹는 고기예요. [조사자 2: 큰가 봐요, 물고기가?] 큰 거예요, 커요. 그래 그걸 잡았는데, 이 예밀

• 페치카는 러시아의 취사 겸용 난방시설로 실내에 설치된 벽난로이다.

•• 러시아어로 슈카(щýка)는 창꼬치를 뜻한다.

레가 기분 좋아하지요.

“아, 오늘 물고기국 하나 저 해 먹자. 맛있을 거다.”

그런데 이 물고기가 사람의 말소리로 한단 말이에요. 말을 한단 말이에요.

“나를 풀어 달라. 풀어주면 내가 언젠가 너한테 필요할 거다.”

그래 예밀레는 막 웃지요.

“너가 필요하면 내한테 무슨 뭐 언젠가 써 먹겠는냐? 널 집에 가져가서 우리 색시들한테 물고기 만들어라. 그러면 만들어서 맛있게 먹을 수 있지.”

그렇게 말하거든. 이 슈카 물고기가 다시 말해요.

“예밀레, 예밀레. 그러지 말고 내가 좋은 일 해주겠으니까, 부탁하면 오늘 날 풀어준 걸 아까워 안 할 기다.”

“그러면 내한테 먼저 해봐줘. 뭘 좋은 걸 해줄 수 있는가. 그러면 내가 너를 풀어주겠다.”

그래 물고기 슈카가 물어본단 말입니다.

“예밀레, 예밀레야! 너 말해봐. 너 뭐 소원이 있느냐, 지금. 지금 당장.”

“이 물동이 둘이 자기들 혼자서 집에까지 가게 해.”

그러니까 이 슈카가 그걸 해줍니다.

“내가 말한 걸 기억하고, 그걸 언제든지 뭔 일 있으면은 말해라.”

뭐라는가 하면, (러시아어로 되뇐 후)

“‘슈카 지시 따라서, 내 소원대로 되어라.’ 그러면 된다.”

그래 예밀레가 그 말대로 했단 말입니다. 하면서,

“빨리 이 두 물동이야 집에 가라!”

하니까, 물동이들이 집에 가버렸어요. (웃음)

그래 물동이 이렇게 가고 있는데 사람들이 그거를 봤단 말입니다. 그리고 이 예밀레가 뒤 따라 가면서 히죽하고 웃으면서 좋아, 기분 좋아서 따라가지요. 그래 예밀레는 물동이 들어가고, 예밀레도 찾아 들어가고, 집에 들어갔어.

조금 시간이 지나니까 그 색시들이 또 뭐라는가 하면,

"예밀레, 예밀레야 왜 누워 있어? 밖에 나가서 장작 좀 장만해라."

"아, 싫어. 싫어."

"가서 해. 왜냐하면 너가 장작 마련하지 않으면은 형제들이 뭐 맛있는 거 안 사온다, 너한테,"

그란께 또 나갔단 말입니다. 나가서 뭐라는, 하는가 하믄,

"슈카의 지시대로, 내 소원대로 되어라!"

하니까 도끼가 막 장작을 팬단 말입니다. 그래 다 쟁겨 놓고. 조금 지나가니까, 이 색시들이 또 뭐라는가면

"장작들이 다 끝났으니까, 이제는 산에 가서 나무를 해오라. 해와. 해와."

하니까,

"정신 나갔어? 나는 산에 못 가."

산에 가서 나무해요? 숲에 가서 나무해요? [조사자 1: 산에 많이 가서] 산에, 산에 가서 많이 가지요.

"못 간다. 나의 할 일이 아니다."

"그러면 선물이 없지."

할 수 없이 예밀레는 페치카에서 내려와서 신발 신고 옷 입고 나가, 나갔지. 그러면은 끈하고 도끼하고 나가서, 뜨락에 나가서, 마당에 나가서 그 썰매, 썰매 올라타서,

"마을 여자들아, 대문을 열어라!"

말하는데, 색시들이 뭐라는데,

"썰매를 타기는 왜 탔어? 말파리 타야지. 썰매는 왜 탔어, 바보야."

"나한텐 그 말파리가 필요 없어."

그 색시들이 그 대문을 열어 줬다. 그래, 예밀레야는 조용히 말하는데,

"슈카 물고기의 지시대로, 내 소원대로 되어라. 빨리 이 썰매 이 산으로 들어가라!"

썰매들이 문을 나와서 그 산으로 갔단 말입니다.

"빨리 가라. 말파리들이 따라 오지 못할 그런 정도로 빨리 달리거라!"

그래 그 산으로 가는데 도시를 지나서 가야 되거든. 사람들이 많이 보고 있어요. 그게 사람들이 많이 부상당하고, 그거 뭐라 해요? 썰매 저 채와, 부닥쳐서, 치아서. [조사자 1: 아, 치었어요?] 치었어요. 그 사람들이,

"야, 저거 잡아라. 우리를 죽인다."

그리하면서도 너무 빨리 가니까 산에 오기는 왔죠.

"슈카의 지시대로, 내 마음대로 되어라!"

그러니까 도끼가 막 나무를 해요. 그러면은 그 썰매다가 쟁겨 놓고, 쟁겨지고 그 끈을 묶어서,

"슈카 지시대로, 내 소원대로 되어라! 집으로 가라."

그러니까 썰매가 집으로 가요. 오는데, 또 그 도시를 또 지나가는데 사람들이 부상당하고 찡기고 죽고 해요. 그래서 사람들이 예밀레야를 잡아서 끌어 땡기고 했는데. 이 예밀레야가 가만히 생각하니까 자기가 잘못될 수도 있거든. 그래서 뭐라는가 하믄,

"슈카 지시대로, 내 마음대로 되어라."

그런데 그 장작 하나가 사람들을, 예밀레야를 잡겠다는 사람들을 막 때린단 말입니다. 그래 못 잡았지요. 집에 오게 됐지요.

그래 이 말이 어딜 들어가는가 하면, 누구한테 들어가는가 하면, 왕한테 들어갔어요. 왕한테 들어가서 장졸들을, 군졸을 풀어서 잡아오라 했는데 잡아오지 못했어요. 또 그 말로 쫓아냈거든.

"물고기 내 지시대로, 내 마음대로."

하니까 그 막대기 가지고, 지팡이 가지고 막 그 장교들을 막 때리고, 그 장교들이 도망갔지요. 도망가서 왕이 그걸 보고,

'이거 안 되겠다. 안되겠다.'

자기 밑에 있는 아주 지혜로운 사람을 보내요,

"잡아오라."고.

잡아오라고 보냈는데, 이 사람이 포도, 그다음에는 과자, 케이크 그런 걸 사가지고 갔지요. 가서 아주 부드러운 말로

"예밀레야, 나하고 같이 가자."

같이 가는데 뭐라고 하냐면, (러시아어로 되뇐 후) 까프탄кафтáн● 이란 옷이 있어요. 러시아의 옷. 그러니까 예밀레야가 그 옷을 좋아하거든. 그래서 그 사람이 좋아한다, 바보가. 이 사람이 뭐라는가 하면, 나라의 지혜로운 사람을 뭐라 해요? [조사자 1: 지혜로운 사람? 현자?] 성주님 있는데, 그 예수님한테 어렸을 때 왔을 때 [조사자 2: 박사. 동방박사.] 박사들, 동방박사들. 그런 머리 좋은 박사예요, 박사. 그래 왔는데 얼래서 데려갔지요.

"만약에 가게 되면, 내가 까프탄, 좋은, 고운 예쁜 러시아 그 풍습에 맞는 그런 옷을 사주고, 모자 사주고, 그다음에 신발 좋은 거, 긴 거를 이렇게 사준다."

예밀레야가 생각하다 못해

"가자, 그러면. (잠시 고민하다가) 그러면 너 먼저 가라. 내가 따라가겠으니까."

그러니까 이 예밀레가 페치카에, 아니,

"슈카의 지시대로, 내 마음대로 되어라!"

하니까, 이 페치카가 그대로 일어서더니 그냥 그 왕이 있는 데로 가요. [조사자 1: 아, 페치카 타고 간 거예요?] 페치카 타고. 그런 얘기 들었어요? [조사자 1: 아니요. 처음 들어 봤어요. (웃음)] 가고, 가고 있어요. 그런데 거기 갔는데 왕의 딸. [조사자 1: 공주.] 공주. 공주가 이 예밀레야를 봤어요. 그런데 예밀레야가 바보거든. 바보처럼 생겼거든. 그런데 이 예밀레가 공주를 봤을 때 뭐라는가 하면,

"슈카 지시대로, 내 마음대로 날 잘생기게 해 달라."

그러니까 멋진 남자가 됐단 말이에요. 그리고

"이 공주가 나를, 나에게 반하게 해 달라."

그래 그렇게 해놓고 집에 다시 와서 누워 있었어요. 그런데 그 왕 집에서 눈물 흘리고 소리 치고, 이 딸이. [조사자 1: 아, 공주가.]

"남자가 갔다고, 예밀레야가 갔다고. 막 야단 내 울고불고 한단 말입니다. 그래 그 동방박사 그분한테 또 말해요.

● 매우 화려한 러시아의 전통 의상이다.

“가서 산 채로든지 죽은 채로든지 예밀레야를 또 데리고 오라. 만약에 데리고 오지 않으면 목을 딴다.”

그래서 또 다시 좋은 맛있는 포도주 사고 그래 갔지요. 그런데 예밀레야가 포도주를 먹고 좀 술에 취했어요. 그런데 그 아버지는, 왕은 이 예밀레야한테 자기 딸이 시집가는 걸 싫어했거든요. 자기는 그 예밀레야가 바본 줄 알았거든요. 그래서 이 통. 나무로 만든 통에다가 둘을, 자는 그 예밀, 술 취해서 자는, 술 취한 거를 거기다 넣고, 딸을 잡아서 거기다 넣고 문, 뚜껑을 닿아서 물 안 새는 거를 이렇게 스몰라смола라 하는데, 그 뭐라 해요? 송진? [조사자 1: 아, 송진.] 송진 그거를 딱 발라가지고 바다에 던져 버렸어요. [조사자 1: 딸도 함께요?] 바다에 던져 버렸어요. [조사자 2: 딸도 같이요?] 딸도 같이, 공주도. [조사자 1: 자기 말 안 듣는다고?] 자기 말 안 듣는다고, 밉다고.

그런데 깨어났지. 깨어났는데 거기서 이 바보가

“아이, 내 이 무슨 일이냐?”

하니까 공주가 다 얘기해 주거든. 그러니까,

“그러면은 슈카 물고기 지시대로, 내 마음대로 그 바다 기슭으로 가라!”

그러니까 이 통나무가 또 그거를 갔어요. 가서, 그래서 예밀레하고 그 공주하고 나가는데 살 곳이 없지. 그래서

“어디서 살겠느냐?”

그러니까

“슈카 지시대로, 내 마음대로 되어라.”

그런데 집이, 궁전이 생겼어요. 궁전이 나오고. 그래 거기 들어가서 같이 사는데. 마리아, 그 마리아 사례브나. 공주 이름이 마리아, 마리아. 그래 그 창문 옆에서 앉아서 있는데, 또 예밀레야 그 바보가 다시 바보처럼 됐는데, 이때 마리아가 또 다시 이렇게 저

“미남으로 되어라!”

이렇게 하네.

그런데 왕이 이렇게 와 보니까, 이렇게 사냥하러 갔는데, 와 보니까 그런 궁전이 서 있거든요.

“이거 어떤 놈이 내 땅 위에 이런 궁전을 지었느냐? 가서 알아봐라.”

그러니까 밑에 부하들이 가서 알아보고 예밀레야 대답하는데,

“왕이 우리 집에, 내 집에 들어오게 하여라. 내가 직접 말하겠다.”

왕이 왔어요. 들어 왔어요. 그래

“앉으라. 앉으세요.”

같이 음식도 나누고 술도 같이 마시고.

“누군데 이렇게 하느냐? 궁전에 있느냐?”

“그 예밀레라 하는 바보를 생각합니까? 페치카 타고 온 사람 그 사람입니다. 당신의 딸하고, 공주하고 같이 통에다가 옇어서(넣어서) 바다에 던졌잖아요. 내 그 사람, 그 바보 예밀레야입니다. 내가 당신의 왕국을 불살라버릴 수 있어요. 싹 몰살해버릴 수 있어요. 그래 어떻게 생각해요?”

왕이 놀랬거든. 그래 용서 빌어요.

“그러면 내 딸한테 장가들어라. 내 딸한테 장가들고 내 왕국을 다 가지고 나를 죽이지 말아라.”

그래서 잔치를 채리고, 예밀레야는 그 마리아 사례브나 공주한테, 마리아 공주한테 장가들고 이 왕국을 지배하게 됐다. 이거로, 이것으로 얘기가 끝나고 누가 들은 사람들은 다 잘 된다.

소원 들어주는 물고기 슈카와 게으른 아들 [2]

● **구연정보**

조사일시 : 2018. 01. 16(화) 오전
조사장소 : 서울시 관악구 남현동
제 보 자 : 김알라 [러시아, 여, 1977년생, 결혼이주 5년차]
조 사 자 : 김정은, 황승업, 강새미

● **구연상황**

제보자가 〈지혜로운 소녀 마샤와 어리석은 곰〉에 이어서 이 이야기를 구술했다. 제보자의 지인인 우즈베키스탄의 박빅토리아 제보자가 청자로 이야기를 들으면서 중간에 러시아어로 도움을 주었다.

● **줄거리**

어느 마을의 노부부에게 예밀라라는 게으른 아들이 있었다. 예밀라는 낚시를 하러 갔는데 창꼬치(슈카)를 잡았다. 그러자 창꼬치가 자신을 살려주면 모든 소원을 이룰 수 있는 주문을 알려주겠다고 했다. 그러자 예밀라는 창꼬치를 놓아주고 주문을 얻었다. 이후 예밀라는 엄마가 우물에서 물을 길어오라거나 나무를 해오라고 할 때 '창꼬치가 원한다면'으로 시작하는 주문을 외워서 문제를 해결했다. 이런 소문이 왕에게까지 들어가자 왕이 예밀라를 불렀다. 움직이는 일이 귀찮았던 예밀라는 난로 위에 누워 난로를 움직이게 하고 궁궐로 갔다. 왕궁에서 공주에게 반한 예밀라는 주문을 외워서 공주가 자신을 좋아하게 만들었다. 그러자 화가 난 왕은 둘을 나무통에 넣어 바다로 던져버렸다. 예밀라는 주문을 외워서 바다에서 나온 뒤 왕국을 만들고 자신의 모습을 멋지게 변신시켰다. 나중에 소문을 듣고 왕이 찾아오자 예밀라는 자신의 힘을 보여주었고, 결국 왕의 허락을 받아 공주와 정식으로 결혼을 했다.

어느 마을에서 할아버지하고 할머니 살았어요. 아들 셋이 있었어요. (청자를 바라보며) 맞죠? [조사자 1: 주로 셋이죠.] 아, 한 명 있

었나? 한 명 있었죠? (웃으며) 한 명 있었어요. 그러니까 예밀라, 그런데 예밀라 바보. 예밀라 두라크дура́к 왜냐면 항상 뭐 대게 게으른 성격이었어요.

그래서 예밀라 어느 날, 낚시를 갔었, 낚시하러 갔어요. 갔는데, 그 창꼬치(꼬치고기를 닮은 물고기)? 창꼬치를 잡았는데, 갑자기 그 창꼬치가 사람 목소리로 말했어요.

"오, 예밀랴. 나를 좀 놔줘."

[조사자 1: 놓아줘.] 네.

"그래서 내가 너한테 뭐 도와줄게."

"거 뭘 도와 주냐?"고.

그래서

"혹시 그런 말 하면, '창꼬치 원한다면' 그다음에 아무 뭐 원하는 소원을 말하면은 다 돼."

[조사자 1: 들어줄게, 네.]

그래서 놓아, 그 풀어줬어요.

집에 오니까 엄마, 엄마는 물 가져오라고, 칼로데쯔коло́дец(우물), 칼로데쯔, 옛날 러시아에서 칼로데쯔, 그 지금 이렇게 욕실에서 나오는 물 없었잖아요. 그래서 칼로데쯔 땅속까지 그 뭐였죠? [조사자 1: 우물, 우물.] 우물 네, 네. 그런 거 칼로데쯔까지,

"그 물까지 가서 물 좀 가져 와."

그랬는데, 그래서 어, 통을 두 개 가져갔는데, 그런데 너무 무거워서 뭐,

"슈카щу́ка(창꼬치)가 원한다면, 그냥 스스로 가."

그랬는데. 그래서 통은 이렇게 막 다리가 생겨가지고 막 (테이블을 손으로 두드리며) 집으로 가져갔어요. 그래서 여러 가지 다, 뭐 그 옛날에도 난로, 추울 때는 나무를 이렇게 잘라서. [조사자 1: 장작을.] 네, 네. 태웠어요. 그래서 막 떨어졌어요. 엄마가 또 다시 심부름,

"숲속에 가서 가져와."

[조사자 1: 나무를 해와서?] 네, 네.

그래서 가는데 피곤해서 뭐 그 뒤에 뭐 하기 싫어서

"스스로 해, 도끼가. 슈카가 원하는 대로." (웃음)

그래서 도끼, [조사자 1: 도끼가.] 그냥 네, 네. [조사자 1: 아, 스스로.] 네, 스스로 다 했는데. 그래서 그 또 뭐 스스로 가고 뭐 그랬는데. [조사자 1: 나무들도 스스로 가고.] 네.

뭐 그것 이렇게 뭐 신기한 거는 왕이 들었어요. 소문이 빡 퍼지고. 그래서

"예밀레가 오라."고.

그런데 예밀레가 스또라시니끼, 스또라시니끼сто́рож(경비) 그거는 보디가드 같은, [조사자 1: 경호원.] 네, 네. 그거 보냈는데, 그런데 예밀레야가 귀찮아서 그냥 난로, 난로에 위에 누워 있었는데, 그냥 난로가 가, 그냥. 그리고 난로 이렇게 툭, 난로 같이. [조사자 1: 자기는 거기 누워 있고?] 예, 예, 예. 누워 있어서, 누워 있을 때는 갔는데. 그래서 그 이대로 갔어요.

그래서 그때는 (청자를 바라보며) 뭐 심부름 했나, 왕이. [청자: (러시아어)] 아무튼 이렇게 계속 이렇게 했는데, (러시아어) 아, 러시아말 나와요. (일동 웃음) 또 누가 이렇게 되고 싶었는데, 아 그 슈카를 잡으려고 뭐 노력하고, 뭐 그거는 제가, 그 확인해도 돼요? [조사자 1: 네, 네. 아 그렇구나.] 되게 어렸을 때 봤어요. [조사자 1: 얘를 할려고 그랬는데. 왕하고 그래서 결혼은 해요, 공주하고?] 그런 것 같아요. 예, 거기 딸도 있었는데, 그렇죠? 딸도 있었는데, (러시아어) 그런데 그 딸은 웃지 않았어요. (청자를 보며) 맞아요? [청자: 지금 모든 동화가 나와서 헷갈려요.] (일동 웃음) [조사자 1: 그래가지고 웃지 않는 또 공주.] 예, 또는 현대적으로 계속 바꿔서 이렇게 나오는 건데. 그래가지고 조금 헷갈려요.

(휴대폰으로 잠시 이야기를 확인하느라 구연 중단)

그러니까 가서 그다음에, 갈 때는 예밀라가 왕의 딸 봤어요. 막 예뻐서 (웃음)

"슈카가 원한다면, 왕의 딸 날 사랑에 빠지게 만들어."

그랬는데, 막 사랑에 빠졌어요. (웃음) 이 울고불고 막

"예밀랴 보고 싶다."고.

그랬는데, [조사자 1: 공주가.] 네, 그래서 또 다시 어. 여기 다르게 나와요. 이제, 이제 좀 기억나요.

그러니까 같이 예밀레아랑 딸과 같이 그 통에, 나무통에다가 바다에 던졌어요. [조사자 1: 아, 왕이 던져버렸어요?] 그 왕이 아니고, 아 맞아요. 왕이 그렇게 시켰어요. 나중에는 그 통이 어디 어떤 바닷가에 나왔어요. 그래서 여기는 그것 또

"슈카 원하는 대로."

돌 나무, 왕국, 왕관? [조사자 1: 왕국] 왕국,

"왕국 만들어라."

그랬는데. 그래서 지붕도 금으로 만든 왕국 이렇게 생겼어요. 옆에는 공장, 공장? 가든. [조사자 1: 아 정원.] 정원, 정원이도 생기고 되게 멋있었어요. 그래서 자기도, 딸, 딸은 예밀레야한테 물어봤어요.

"혹시 잘생겨질 수, 예뻐질, 멋져질 수 있냐?"고.

물어봤는데, 그래서

"어, 그래. 슈카가 원한다면, 내가 멋있어져."

뭐 잘생겼어요, 이제. 그때는 (웃으며) 잘 못생겼어요.

네, 그래서 나중에는 소문이 또 퍼졌어요. 왕, 왕이 와서 보니까 못 알아봤어요. 예밀레야가 뭐 또 잘생기고. 또 그래서

"누구세요?"

물어봤는데, 그래서

"혹시 그 바보 예밀라 기억 나냐?"고.

물어봤는데. 그래서

"나, 그 바보, 바로 그게 나야. 나 이제 되게 힘 세. 그래서 너의 왕국을, 너의 땅을 태우고 싶으면 태우고 마음대로 할 수 있어."

그래서 왕이 대게 막 놀라서 사과? 사과 계속 하고 그랬더니, 이제는 허락했어요.

"이제 내 허락받고 정식적으로 결혼해라. 내 딸과 같이."

그래서 그때는 막 완전 그 뭐지? 그 피르пир(축제), 피르. 어 행사 같은 거. [조사자 2: 잔치.] 아, 잔치, 잔치. 뭐 손님들 오고 큰 행사 만들고 그랬는데.

이제는 동화 끝나고 듣고 있는 사람들 잘 하고 이렇게 끝나요.

[조사자 1: 네, 맞아요.] '동화 끝났다.' [조사자 1: 모두 자.] '잘한다. 듣고 있는 사람, 친구들 잘한다. 잘했다.' 이렇게 원래 러시아에서 동화 끝나면 이렇게 말해요. 왜냐면 떠들지 않고 열심히 듣고 있으면은 칭찬해요. [조사자 1: 아 또 마지막에 '잘한다.' 그렇게 칭찬하고 끝내는 거예요?] 네.

늑대와 함께 살게 된 꾀 많은 여우

● **구연정보**

조사일시 : 2016. 11. 19(금) 오후
조사장소 : 서울시 중구 을지로 러시아거리
제 보 자 : 우정부 [러시아, 남, 1941년생, 영주귀국 7년차]
조 사 자 : 조홍윤, 황승업, 김자혜

● **구연상황**

제보자가 〈바바야가를 물리친 소녀〉에 이어서 이 이야기를 구연했다. 구연을 마친 뒤 여우와 늑대는 친척인데 도둑놈 친척이 들어온 것이라며, 사람이 잘 살려면 눈치가 있어야 한다는 말을 덧붙였다.

● **줄거리**

늑대는 나무로 집을 짓고 여우는 얼음으로 집을 지었는데, 날씨가 뜨거워지자 여우의 집이 녹아버렸다. 여우는 늑대를 찾아가 같이 살게 해달라고 부탁했고, 늑대는 하는 수 없이 여우와 살게 되었다. 어느 날 저녁, 페치카 위에서 잠을 자던 여우가 페치카를 두드리자 늑대는 여우에게 누가 온 것 같으니 나가보라고 했다. 여우는 부엌으로 가서 스메따나와 여러 음식들을 몰래 먹고 돌아왔다. 다음 날 늑대는 맛있는 음식을 해먹자며 여우에게 부엌에서 식재료를 가져오라고 했으나 부엌에는 먹을 것이 아무것도 남아 있지 않았다. 늑대가 여우를 추궁했지만, 여우는 눈이 잘 보이지 않아서 본 적도 없다고 말했다. 그 말은 믿은 늑대는 지금까지도 여우와 같이 살고 있다.

늑대와 여우가 살았습니다. 늑대의 집은 이런 장작가지고 만들은 거고. 여우의 집은 얼음가지고 얼음으로, 얼음집. 그런데 날씨가 뜨거워져서, 따뜻하게 됐어요. 그런데 그러니까 이 여우의 집은 녹아버렸어요. 여우가 늑대한테 와가지고,

"좀 같이 살자. 내 들어가게 허락해. 좀 몸도 녹히고 싶고."

그런데 늑대가 뭐라는가 하면,

"우리 집, 내 집이 너무 작아. 나도 좁은데 둘이서 어떻게 살아. 못 데려가."

늑대가 안 데려 갔어요. 여우가 다시 갔지요. 그래서 또 매일 늑대한테 가요. 가서,

"좀 어디든지 좀 넣어줘. 현관이든 어디 있든 좀 넣어줘."

그러니까 너무나 불쌍해서 늑대가 데려갔어요. 첫 밤은 좀 이렇게 현관 뭐 그런 데서 좀 자고, 두 번째 날은 집안에 들어왔어요. 그런데 세 번째 날에는 저 페치카pechka● 위에 올라갔어. 그 페치카 위에서 자는 거는 주인만 자요. 그런데 거기 올라갔다고. 잘 자요. 그러면 늑대는 밑에서 자고, 여우는 주인처럼 페치카 위에서 자고. 그럼 밤새 여우가 말해요, 얘기해요. 그래 이 늑대가 물어봐요.

"너 누구하고 말해?"

어, 그 뭐라면, 좀 사돈이란 그런 말인데.

"누구하고 사돈 얘기했어? 어 누구하고, 거기 누가 있어?"

"여기 누구도 없어."

그런데 다시 이렇게 자는데, 여우가 페치카를 두들겨요, 밤에. 뚝뚝뚝뚝 그러니까 늑대가 깨어났어요. 그래 여우가 스메따나смета́на(우유크림), 우유제품. 우유, 우유를 맛있게 또 해가지고 만든 그런 스메따나라 하는 그런 우유가 있어요. 그러니까 그걸 만들었거든.

"누가 문을 두들긴다. 가서 바라봐."

그래 물건, 먹는 거 음식 두는 그 방에, 부엌에 나왔거든요. 그래 들어가서 그 스메따나하고 그 빠다, 버터? 그걸 찍어서 빵하고 먹어요.

"오, 맛있다. 야, 이 늑대란 놈이 이렇게 맛있는 걸 먹고 있구나. 기름도 맛있다."

그래 싹 먹고 그다음에는 밀가루를 조금 흘렸어요. 이래 페치카 위에 올라와서 입을 자꾸 닦으면서,

● 페치카는 러시아의 취사 겸용 난방시설로 실내에 설치된 벽난로이다.

"그래 너는 그 부엌에 나가서 누구하고 얘기했어?"

늑대가 물어봐요.

그래 내한테 보내는 사람, 이렇게 손님들 뭐라 해요? 내가 누구를 어디로 집으로 보낸 사람들. 심부름 보낸 사람들. 심부름 보낸 사람. 심부름 그런 말이 있어요? [조사자 1: 심부름꾼?]

"심부름꾼이 왔다. 나를 잔치에 초청했다. 아주 영예로운 그런 잔치다. 그런데 내 거절했다."

그래서 늑대가 그거 믿었거든요. 그래서 아침에 늑대가

"부침개 만들자."고.

했지. 그래 여우한테 말해요.

"나는 저 장작불을 가져오고, 너는 저 페치카를 불살라라. 불 피워. 그리고 너 사돈은 저 가서, 부엌에 가서 잘 보살펴 봐라. 거기에 기름하고 스메따나, 우유제품 맛있는 거 있으니까, 기름, 저 밀가루도 있고 가져와. 페치카 불살라서 찌개를 만들자."

그래 갔지요. 그래 갔다 와서 말해요.

"나는 좀 늙어서 이제는 안 보인다. 뭐 아무것도 안 보인다. 그래서 그 부엌에서 아무것도 못 찾겠다. 아무것도 못 찾았다. 그래 너 늑대 너가 가서 찾아 봐."

그래 늑대가 와서 그 부엌을 찾아 봤는데, 선반 올려보고, 선반 밑에도 보고. 다 그릇이 있는데 다 그거 먹고 아무것도 남지 않았다. 그래 돌아와서 여우한테 물어본다.

"누가 그거 다 먹지 않았느냐? 그다음에는 밀가루를 흘리지 않았느냐!"

그러니까 여우는,

"내가 안 했다."

거절(거짓말)해요.

"나는 눈 안 보이고, 지금 어두워서 못 봐. 기름도 못 보고, 스메따나, 그 우유제품도 못 보고. 그리고 밀가루도 내가 안 쏟았어."

늑대는 그 꾀 있는 여우를 다시 믿었다. 그래 자기 집에 봄 될 때까지 같이 살았다. 그래서 지금까지 늑대와 같이 그 집에서 살고 있다.

늑대에게 먹힌 새끼를 구한 어미 염소

● 구연정보

조사일시 : 2016. 11. 19(금) 오후
조사장소 : 서울시 중구 을지로 러시아거리
제 보 자 : 우정부 [러시아, 남, 1941년생, 영주귀국 7년차]
조 사 자 : 조홍윤, 황승업, 김자혜

● 구연상황

제보자는 〈늑대와 함께 살게 된 꾀 많은 여우〉 이야기를 구술한 뒤, 어릴 때 스스로 러시아어와 한국어를 공부한 이야기와 나빠진 건강을 신앙의 힘으로 이겨낸 경험담 등을 이야기해 주었다. 그런 다음 자신이 준비한 마지막 이야기라며 이 이야기를 구술했다.

● 줄거리

어미 염소가 풀을 뜯으러 나가면서 새끼염소들에게 누구에게도 문을 열어주지 말라고 당부했다. 어미 염소가 집으로 돌아온 뒤 새끼들에게 문을 열라고 말하고 안으로 들어갔는데, 그 모습을 늑대가 보았다. 어미 염소는 다시 풀을 뜯으러 나가자, 늑대가 새끼 염소들에게 어미 염소처럼 꾸며서 말하며 문을 열어달라고 했다. 새끼들이 목소리가 다르다며 문을 열어주지 않자 늑대는 대장장이에게 가서 목소리를 바꾼 뒤 다시 문을 열어달라고 했다. 새끼 염소들이 문을 열자 늑대가 들어와 염소들을 잡아먹었는데, 한 마리가 벽난로 밑에 숨어 목숨을 건졌다. 집으로 돌아온 어미 염소에게 늑대가 너무 슬퍼하지 말라며 산책을 권했다. 늑대와 함께 산으로 간 어미 염소는 늑대에게 불구덩이를 오가며 넘어보자고 했다. 어미 염소는 불구덩이를 뛰어넘었는데, 늑대는 구덩이 안으로 떨어져버렸다. 그러자 늑대의 배가 터졌고, 그 속에서 새끼 염소들이 나왔다. 되살아난 새끼 염소들과 어미 염소는 전처럼 행복하게 살았다.

염소가, 엄마 염소가 새끼, 염소 새끼들을 낳고 같이 살고 있었다. 그 엄마가 산에, 숲속에 가서 마른 풀들을 먹을라고 했다. 가서 물도 마시고. 가면서 엄마가,

"문을 꼭 잠그고, 누구한테도 열어주지 말고, 밖으로 나오지 말라."

그렇게 당부하고 갔다. 그런데 엄마가 다시 집에 왔는데, 엄마가 말한다.

"내 염소새끼들아, 문을 열어 줘. 엄마가 왔다. 우유를 가져왔다."

저거 우유, 염소 우유도 우유여? [조사자 3: 젖, 염소 젖.] 염소 젖. 우유는 아니지? [조사자 2: 그것도 우유라고 해요.] 우유라고 해요? 어, 우유라고 해요. 그래서 젖 가지고 왔다. 이런 거 뭐 러시아어로 하니까, 젖 있잖아요. 젖 가득 차, 우유로, 젖으로 가득 차 있다. 그렇게 말이 되거든요. 그런데 문을 열어주었다. 염소는, 엄마는 먹여주고, 많이 마시도록 해주고 다시 또 숲으로 갔다.

그런데 옆에 숨어 있던 늑대, 늑대가 그 말을 들었다. 엄마가 노래하는 거, 열어달라고 부탁하는 걸 말을 들었다. 그래 와서 뭐라는가 하면,

"나를, 문 열어, 엄마가 왔다. 우유를 가져 왔다. 너희들 잘 먹어야 해."

그러니까 듣기는 듣는데,

"이거 엄마가 아니다. 엄마 목소리는 가늘한 목소리고, 이거는 너무나 우둔한 목소리다. 안 된다."

그래 늑대는 할 수 없지. 그래서 어디로 갔는가 하면, 여장, 뭐래요? 여장가? [조사자 1: 대장간?] 대장간? 대장꾼, 대장간? [조사자 1: 대장장이?] [조사자 2: 망치 이렇게 두드리고 하는 곳이요?] [조사자 3: 대장장이.] 대장장. 그래 가서,

"내 이 목청을 고쳐주세요."

그러니까 고쳐줬어. 고쳐줘 가지고 보니까 이때 그 엄마, 염소 엄마가 왔단 말입니다. 그래 두드려요. 그래 그 늑대는 또 그 옆에 나무, 나무 옆에 서 있어서, 서 있고, 몸 피해 서 있고.

"그래, 염소새끼들아, 내 새끼들아. 내가 왔다. 문 열어 줘. 우유를 먹어."

그런데 문을 열고, 열어주었다. 어머니가 들어 왔는데 새끼들이 늑대가 왔다갔다는 것을 말했다. 그 얘기를 해줬다. 그러니까 염소 엄마가 우유 다 먹이고 다시 당부했다.

"우리 집 옆에 누가 오게 되면, 우둔한 목소리로 말하게 되면 누구도 열지 마. 문 열어 주지 마!"

그래 염소 엄마가 떠나자마자 늑대가 와서 가느다란 목소리로 노래 부른다.

"염소 새끼들아, 내 새끼들아. 내가 우유를 가지고 왔다. 그래 우유 먹어. 내가 먹여주겠다."

그래 염소 새끼들이 문을 열어줬어요. 그래서 늑대가 집 안으로 들어왔지요. 들어왔, 들어왔다. 그런데 다 이 새끼들을 먹어치웠지요. 먹어치우고, 그 한 마리만 그 페치카 밑에 들어가서 가만히 숨어 있었단, 있었어요.

그러니까 엄마, 염소 엄마가 와서 아무리 찾아봐야 누구도 없어요. 아무 대답이 없어요. 그래 한 염소새끼만 나와서 엄마하고 같이 있게 됐지요. 그래 엄마가 속이 아파서 울고, 아주 마음 아파했다.

"내 새끼들아, 다 어디로 갔느냐?"

엄마가 그렇게 속 아파한다. 그래 그 승냥이(늑대)가 나타나면서 엄마 염소한테 말한다.

"너 내가 그랬다고 생각하지? 내 너 새끼들을 먹은 게 아니다. 그래 저, 속 타 하지 말고, 우리 같이 산에 가서 산보 하자. 마음은 풀어."

그래 같이 산으로 가서 산에, 숲속에 이렇게 함정이라, 구덩이 있었다. 거기 밑에 모닥, 모닥불이 있었다. 그래 염소 엄마가 말하는데, 승냥이보고,

"너 승냥이 재간 좋지? 그래 이 구덩이를 뛰어봐라. 왔다갔다가, 이리 가, 저리 가."

그래 같이 뛰었다. 그래 염소 엄마는 뛰고, 승냥, 늑대도 뛰고. 그런데 늑대가 그만 빠져버렸다. 불타는 구덩이에 빠졌다. 그래 배가

다 불타서 그 배가 터져버렸다. 거기서 염소새끼들이 뛰어나왔다. 그런데 다 살아있었다. 다 어머니한테 왔다. 그래서 그전처럼 행복하게 어머니하고 다 같이 살았다.

이걸로 끝나요.

지혜로운 소녀 마샤와 어리석은 곰 [1]

● 구연정보

조사일시 : 2017. 01. 05(목) 밤
조사장소 : 부산 사상구 주례동
제 보 자 : 안나가르칸축 [러시아, 여, 1993년생, 유학 3년차]
조 사 자 : 조홍윤, 황승업, 김자혜

● 구연상황

제보자는 〈불새를 잡으러 간 이반 왕자〉에 이어 또 하나의 민담을 구연했다. 짧지만 의미심장한 이야기로 조사자들의 흥미를 끌었다.

● 줄거리

옛날에 할아버지 할머니와 살고 있던 마샤가 친구들과 숲에 놀러갔다 깜빡 졸아 길을 잃었다. 마샤는 한 집에 들어가게 됐는데 곰이 마샤를 붙잡고 놓아주지 않았다. 꾀를 낸 마샤는 할아버지 할머니에게 맛있는 음식을 주고 싶다고 했다. 마샤를 보내기 싫었던 곰은 자기가 대신 가겠다고 하고 큰 상자에 맛있는 음식을 담았다. 음식 준비가 다 됐을 때 마샤는 곰에게 비가 오는지 봐달라고 하고는 곰이 밖을 보는 틈에 상자에 들어갔다. 상자를 들고 마샤의 집으로 가던 곰은 몇 번이나 음식을 먹으려 했지만 마샤가 꾀를 부려 들키지 않았다. 마샤의 집에 도착한 곰은 냄새를 맡은 개들이 몰려오자 도망갔다. 그래서 마샤는 무사히 집으로 돌아갈 수 있었다.

어느 마을에 마샤Marcia라는 아이가 할머니, 할아버지랑 같이 살고 있었어요. 근데 어느 날 자기 친구들이랑 숲속으로 놀러가고 싶다고 할아버지, 할머니한테 허락을 받고 갔어요.

그런데 너무 오랫동안 걸었더니 다리가 아파서 살짝 좀 나무에 기대고 앉아 있었는데 친구들이 다 없어져버렸어요. 그래서 자기가 어떻게 집으로 돌아가야 할지 몰라서 길을 잃게 된 거죠.

그러다가 숲속에서 집을 하나 발견했어요. 집 안으로 들어갔고, 음식을 먹을 게 있나 찾고 있었는데, 갑자기 문 안으로 곰 한 마리가 들어왔어요. 그래서 마샤한테 그렇게 이야기를 했죠.

"너 잘됐다. 넌 이제 앞으로 나랑 같이 살 거야. 다 집안일을 너가 할 거야."

마샤가 어떻게 해야 할지 일주일 동안 고민했어요. 왜냐하면 어떻게 물어봐도 곰이 자기를 혼자 냅두지 않고 계속 같이 있었어요.

그러던 어느 날 마샤가 곰한테 그렇게 이야기를 했어요.

"나는 우리 할아버지, 할머니한테 맛있는 걸 좀 갖다 주고 싶다. 어떻게 도와줄 수 없냐?"

그래서 곰이 그렇게 이야기를 했죠.

"너는 가면 안 되고 내가 알아서 갈 거다."

그런데 마샤가 원하던 거는 바로 그거였어요. 그래서 마샤가 정말 맛있는 과자나 이런 걸 다 준비를 하고 곰한테 줬는데, 그 곰한테 그렇게 이야기 했어요.

"잠깐 창문 쪽을 봐봐. 비가 오나 안 오나."

그래서 곰이 비가 오는지 안 오는지 보는 순간, 마샤가 그 상자 안으로 들어갔어요. 과자가 있는 상자로. 그래서 곰이 그 상자를 들고 마샤의 집으로 가고 있었는데 배가 너무 고파서 과자 하나를 먹고 싶었는데 그 순간 마샤가 그렇게 이야기를 했어요.

"보인다, 보인다. 너는 먹으면 안 된다. 이것을 우리 할아버지, 할머니한테 줘야 한다."

그래서 곰이 너무 놀라서 돌아보고 있었는데,

'마샤가 여기 있는 것도 다 보이는구나!'

그렇게 생각하고 계속 가고 있었죠. 그렇게 곰이 세 번 과자를 먹고 싶었는데 그때 마샤가 계속 똑같은 말을 했어요. 그래서 이제 집에 도착을 해서 곰이 할아버지 할머니를 불렀는데 곰 냄새를 맡은 개들이 다 같이 몰려와서 곰을 죽고 싶었는데(곰을 죽이려고 했는데) 그 순간 곰이 상자를 두고 도망갔어요. 그래서 그 상자에 있는 마샤가 나와서 할아버지 할머니한테 다 이야기를 했죠. 그렇게 됐다고.

[조사자 2 : 상자가 되게 컸나? 아니면 마샤가 조그마하게 변해서 들어간 거예요?] 아니요. 우리는 (상자가) 되게 커요. [조사자 1: 여자애 하나가 들어갈 수 있을 정도로 그런 상자?] 네. 근데 그런 이야기 가지고 우리 부모님들이 무섭게 했죠. 모르는 사람이랑 어디 가면 안 되고, 숲속에 혼자가면 안 되고 길을 잃으니까.

지혜로운 소녀 마샤와 어리석은 곰 [2]

● 구연정보

조사일시 : 2018. 01. 16(화) 오전
조사장소 : 서울시 관악구 남현동
제 보 자 : 김알라 [러시아, 여, 1977년생, 결혼이주 5년차]
조 사 자 : 김정은, 황승업, 강새미

● 구연상황

제보자가 〈바바야가의 새에게 잡혀간 동생을 구한 누이〉 이야기 구술을 끝마친 뒤에 바로 이 이야기를 이어 구술해주었다. 우즈베키스탄의 박빅토리아 제보자가 이야기를 함께 들었다.

● 줄거리

숲에 갔다가 곰에게 잡혀 집으로 돌아갈 수 없던 마샤는 한 가지 꾀를 내었다. 마샤는 곰에게 자신이 만든 빵을 자기 대신 할아버지와 할머니에게 전해달라고 했다. 곰이 알겠다고 하자, 마샤는 곰이 빵을 먹을지도 모르니 자신은 높은 나무 위에 올라가 감시하고 있겠다고 했다. 그리고 빵이 든 가방에 몰래 들어가 빵 사이에 숨었다. 가방을 들고 마샤의 집으로 가던 곰이 힘들어서 가방에 있던 빵을 꺼내려고 하자, 마샤는 멀리서 이야기하는 것처럼 소리를 내며 자신이 다 보고 있으니 빵을 먹지 말라고 했다. 이러한 상황을 여러 번 반복하며 곰은 마샤의 집에 도착했는데, 마샤의 집에 있던 개가 곰을 쫓아냈다. 할아버지와 할머니가 곰이 놓고간 가방을 열어보니 그 안에 빵과 마샤가 있었다.

숲속에는 에, 숲속에 들어가서 어떤 집 봤어요. 집에 들어가니까, 뭐 이것도 여러 가지가 있는데, 거기 곰 살았어요. [조사자: 어, 곰이 사는 집이었구나.] 곰은 들어왔는데,

"오, 마샤. 잘 됐다. 이제는 집안일 해."

막 시키고, [조사자: 마샤를 시키면 되겠구나.] 네.

"밥도 해줘, 청소도 하고."

막 그랬는데. 그런데 집은 못 돌아가게 했어요. 그래서 마샤가 생각해보니까 곰은 크잖아요. 그래 이길 수 없어요. 그래서 생각해보니까 어.

"그러면 내가 못 가고, 우리 할머니 할아버지한테 내가."

빵을 만들고, 이렇게 가방에 넣고,

"그냥 전해 줘."

이 부탁했는데,

"어, 그래."

뭐 이렇게 이만큼은 곰은 한다고 했어요. 그래서 아, 마샤가

"너 빵을 먹을까 봐, 내가 매양 제일 큰 나무에서, 높은 나무에서 볼 거야."

[조사자: 아, 그걸 먹나 안 먹나.] 네, 먹나 안 먹나. 네.

그래서 곰은, 아 그 자기, 자기(마샤)는 그 가방에 들어가서 위에 빵 넣었어요. (웃음) 네, 그래서 곰은 들어왔는데 가방 있어요. 그래서 마샤가 그냥 나무 위에 하는 척하고,

"나, 나무 위에서 있어. 다 보고 있어. 다 보여. 가방을 그냥 들고 가."

그랬는데, 곰은 가방 들고 가는데 막 피곤해요.

"앉아서 뭐 빵을 먹을까?"

그러니까, 마샤가 다 들어, 듣고 있잖아요. 그래서

"아니야. 안 돼, 안 돼, 안 돼. 나 다 보고 있거든."

[조사자: 아, 저기서 얘기하는 것처럼?] 네, 네.

그래서,

'어떻게 이렇게 잘보고 있지?'

뭐 그러는데. 그래서 몇 번 이렇게 했는데, 집까지 갔어요. 가방을 놓고 가는데. 그래서 모르잖아요, 그러니까 마샤가 그래서 다 갔는데. 그리고 또 거기는 원래 오리지널 책에서 개 있어요. 강아지 있

어요. 그 곰 보고 쫓아냈어요. [조사자: 아, 쫓아내요 곰을?] 네. 그래서 할아버지 할머니는 가방, 빵, 거기는 보니까 마샤까지 있어요. [조사자: 네, 빵, 마샤까지.] 그거 끝이에요. 네, 그래서 어떻게 머리 쓰고 이겼어요.

[조사자: 아, 곰을 이겨서 돌아오는 그런 얘기구나.] 네, 그런 거 되게 많아요. [조사자: 아, 재밌네요.]

도끼로 끓인 스프

● 구연정보

조사일시 : 2018. 01. 29(월) 오전
조사장소 : 대구광역시 중구 남산동
제 보 자 : 나탈리아 [러시아, 여, 1983년생, 결혼이주 13년차]
조 사 자 : 김정은, 황승업, 강새미

● 구연상황

제보자가 〈바바야가를 찾아서 죽이는 법〉을 구연한 뒤 다른 이야기를 청하자, 바보 이반 이야기를 잠시 하려다가 다 알 것 같다면서 중단하고 이 이야기를 구연했다. 한국에 알려지지 않은 이야기들을 구연하고자 하는 마음에 조사자들이 이미 아는 이야기인지를 확인하면서 구연을 이어갔다.

● 줄거리

한 군인이 전쟁이 끝나 자기 집으로 돌아가고 있었다. 며칠째 걸어가다가 너무 배가 고파진 군인은 어떤 마을에 가서 할머니에게 밥을 달라고 청했다. 할머니는 밥이 없다고 했으나, 통통한 할머니를 보고 먹을 게 있을 거라고 생각한 군인은 꾀를 냈다. 그는 자기가 도끼로 스프를 끓일 수 있다면서 도끼를 달라고 했다. 할머니가 신기한 마음에 도끼를 주자, 군인은 냄비에 물과 도끼를 넣고 끓이기 시작했다. 잠시 뒤 군인은 스프가 맛있긴 한데 보리나 쌀을 조금 넣으면 더 좋을 것 같다고 했다. 그러자 할머니가 조금 넣어 주었다. 군인은 이어서 야채를 조금 넣어달라고 하고, 버터와 소금을 넣어달라고 했다. 할머니가 군인이 달라는 대로 조금씩 주다 보니 스프가 완성됐다. 둘이서 스프를 맛있게 먹을 때에 할머니가 도끼는 언제 먹느냐고 하자 군인은 도끼는 아직 덜 익었다며 내일 먹으라고 했다.

이 이야기는 원래 왜,
'아빠한테 세 명 아들이 있었다.'

이런 이야기 많거든요. 그래 막내가 바보 이반이라 카거든요. [조사자: 그렇죠, 이반 많죠.] 예, 그러니까 멀쩡해. 멀쩡하면서 그 왜

'모르는 거 약이다.'

그런 거 있잖아요. 그래서 야가 멀쩡하면서 단순하게 사니까 나중에 이렇게 잘 되는 거야. 그런 이야기 많잖아요. 그중에.

군인이 이제 전쟁 끝나고 집에 돌아가는 길에 며칠 동안 걸어가니까 배가 고픈 거야. 어떤 마을에 가니까 할매가 계시는 거야. 그래서

"할머니, 밥 좀 줘."

이렇게 하니까,

"어이구, 야, 야. 우리 집에 밥이 어디 있어?"

전쟁 끝나고 곡식도 없고 아무것도 없는 거야. 그래 나무꾼이 딱 보니까 할머니가 토실토실하게 살도 찌고 되게 좀 잘 먹게 생겼더라고. [조사자: 오, 그런데 없대.] 응, 그런데 밥이 없대. 그래서 나무꾼은, 아 그 군인이

"어쩔 수 없다. 뭐, 도끼라도 있겠나? 도끼 뭐 나무 이래 자르고 이카는 거, 없나?"

이카니까,

"도끼는 있지, 왜 도끼 없노?"

"그러면 그거라도 가지고 우리 스프 한번 만들어 보자."

"도끼로 어떻게 국 끓이냐?"

카니까

"뭐, 쉽다. 우리 전쟁하면서 이렇게 많이 끓여 봤다. 뭐 쉽게 끓일 수 있다."

스프는 이제 국이지, 그지? 그래,

"냄비랑 물이랑 그 도끼 한 개 주면은 맛있게 끓여줄 수 있다."

그래가지고. 모르세요? [조사자: 들어봤을 것 같아요.] 아, 들어봤지요? 그러니까 그거 이야기는 있고. [조사자: 아이, 해주셔도 돼요. 버전이 다 달라요.]

아, 그래서 그 나무꾼은 이제 불에다가 냄비를 언치고 도끼 넣고 그래가지고 한 시간 끓였다가 맛보니까,

"음, 국은 이제 맛이 나는데, 도끼가 덜 익었어, 아직은. 우리는 다 익을 때까지는 곡식을 조금만, 뭐 보리나 쌀이나 같은 거 있으면 좀 넣으면 더 맛있을 수 있다. 조금이라도 없나, 할매?"

"조금은 있지."

그래 가서 갖고 왔는 거야. 그래가지고 또 나중에는 더 끓였다가 맛보니까,

"와, 좋다. 맛이 진짜 좋다. 여 양배추나 야채 같은 거 넣으면 더 맛있을 수 있다. 그래 할매 조금도 없나?"

이카니까는

"조금은 있지, 조금."

그래 다시 그 집 가서 갖고 와가지고 야채 넣고 그래 맛보니까 맛있지만 간이 안 맞아.

"소금이나 그리고 버터를 조금 넣으면 더 맛있을 수 있다."고.

그래 마지막에 이제 그런 것들 다 넣고 끓였다가 인제 맛보니까 그거 진짜 맛있어. 이제는

"할머니, 이제 그릇하고 숟가락 갖고 오세요."

그거는 자기도 먹고 할머니도 잡숫고.

"아, 이제는 배불러서 다시 가면 된다."고.

이래켔더니, 할매가

"그러면 도끼는 언제 먹으냐?"

도끼가 제일 맛있어 보여서,

"도끼는 언제 먹느냐?"고.

"도끼는 아직 덜 익었어. 내일 다시 내 방법으로 다시 삶으면, 내일 혼자 먹어라."고.

카면서 그래가지고 그런 이야기가 있어요.

그런 이야기는 좀 약간 사기도 있지만, 이제 이렇게 꾀 많은 군인이 할머니를 이제, 욕심 많은 할머니를 놀렸지.

겁은 눈이 커서 없는 것도 보인다

● **구연정보**

조사일시 : 2018. 07. 09(월) 오전
조사장소 : 경기도 오산시 은계동
제 보 자 : 김알라 [러시아, 여, 1977년생, 결혼이주 5년차]
조 사 자 : 김정은, 황승업, 강새미

● **구연상황**

중국의 리하이리엔 제보자가 〈니엔 괴물과 설날 풍속 유래〉의 이야기를 마치자, 김알라 제보자가 러시아에 이와 관련되는 속담 같은 이야기가 있다며 구연을 시작했다. 몽골의 온다르마 제보자와 중국의 쳔슈얀, 리하이리엔 제보자가 청자로 참여했다.

● **줄거리**

할머니와 손녀가 쥐, 닭과 함께 살고 있었는데, 매번 다 같이 물을 뜨러 다녔다. 할머니와 손녀는 우물에서, 닭은 길거리에서, 쥐는 소발자국에 고인 물을 떠서 돌아왔다. 사과나무에서 사과가 떨어지자 놀란 토끼가 도망치다가 네 명하고 부딪쳤다. 그런데 네 명은 누구하고 부딪혔는지 보지 못해 겁을 먹었다. 할머니는 곰이 나타났다고 생각했고 손녀는 늑대가, 닭은 여우가, 쥐는 고양이가 나타났다고 생각했으며, 토끼는 사냥꾼 네 명과 사냥개가 쫓아왔다고 생각하면서 겁에 질렸다. 그래서 '겁은 눈이 커서 없는 것도 보인다.'는 말이 있다.

어느 마을에서 할머니와 손녀, 닭 그리고 쥐가 같이 살고 있었어요. 맨날 물 가지러 갔다 왔는데요. 그래서 오늘도 다 같이 물통 가져갔고 물 가지러 갔는데요. 할머니는 물통은 크고, 손녀는 조금 작고, 닭은 오이 크기 그리고 쥐는 손가락 끝 크기였어요.

그래서 갔는데, 할머니는 물, 그 웰well 있잖아요, 웰 밑에 물 있는. [조사자 1: 네, 우물이요.] 아, 우물. 그래서 할머니는 거기서 물 잡아가지고요, 닭은 선녀와 같이 거기 물 잡았는데요. 닭은 길거리에 물 있잖아요. [조사자 1: 웅덩이.] 거기서 물 받았고요. 그리고 쥐는 어떤 작은 소 발자기? [조사자 1: 아, 소 발자국에 있는] 발자국에 있는 물.

그래서 그거는 가고 있었는데요. 근데 가는 길에 사과나무 있었어요. 그 사과나무 밑에 토끼 있었는데, 근데 사과 갑자기 이렇게 떨어졌는데 토끼를 이마에 때렸어요. 그래서 토끼가 막 놀라가지고 뛰었어요. 바로 그 우리 친구들 막 이렇게 부딪혔어요. 도망가는데, 그래서 할머니도 놀라가지고 손녀와 닭, 쥐까지 다 놀랐는데 물통 다 버리고 도망갔어요, 집에.

그래서 막 겨우 왔는데, 막 쓰러지고. 할머니가,

"어우, 나 되게 커다란 검(곰)이 날 잡으려고, 죽이려고 그랬어요."

[조사자 1: 커다란 검?] 검. 베어bear [조사자 2: 곰.] 곰. 그래서 선녀(손녀)는

"아, 말도 하지 마세요. 나는 되게 무서운 늑대 부딪혀가지고 죽이려고, 막 먹으려고 그랬어요. 겨우 도망갔어요."

그래서 닭은,

"저도 말도 하지 마세요. 저를 어떤 여우가 막 잡으려고, 먹으려고 그랬어요. 겨우 도망갔어요."

쥐도 막 숨막혀가지고 말했어요.

"저를 커다란 고양이, 이렇게 긴 수염까지 있는 고양이가 잡으려고, 막 먹으려고 그랬어요."

그래서 막 그런 얘기 했는데, 그때는 토끼 도망갔잖아요, 토끼도. 막 어디 숨었는데 숲속에. 그래서 막 숨 막혀가지고 그런 생각했어요.

'나를 지금 사냥꾼이 네 명이나, 또 사냥개까지 갖고 지금 나를 쫓아, 따라왔어요. 겨우 도망갔다.'

그래서 그런 말이 있어요.

'겁은 눈이 크다. 없는 것도 보인다.'

둥근 빵 칼라복과 꾀쟁이 여우

● 구연정보

조사일시 : 2018. 01. 16(화) 오전
조사장소 : 서울시 관악구 남현동
제 보 자 : 김알라 [러시아, 여, 1977년생, 결혼이주 5년차]
조 사 자 : 김정은, 황승업, 강새미

● 구연상황

사당역 근처 한 카페에서 김알라 제보자와 우즈베키스탄의 박빅토리아 제보자를 만난 뒤 조사 취지를 설명하고 이야기 구술을 부탁했다. 먼저 박빅토리아 제보자가 이야기 하나를 구술한 뒤 김알라 제보자가 이 이야기를 들려주었다. 구술을 마친 뒤에 이 이야기는 어른의 말을 잘 듣자는 교훈을 주는 이야기인 것 같다고 덧붙였다.

● 줄거리

옛날에 아이가 없던 노부부가 살았는데 어느 날 할머니가 둥근 빵 칼라복을 구워서 창가에 올려놓고는 거기 그대로 있으라고 말했다. 그런데 칼라복은 바깥세상이 재미있어 보여 집을 나간 뒤 데굴데굴 굴러서 숲으로 갔다. 토끼가 칼라복을 잡아먹으려고 하자 칼라복은 시를 읊어주고 도망쳤다. 칼라복은 이어서 늑대와 곰을 만났는데, 마찬가지로 시를 읊어주고 도망쳤다. 다시 여우를 만난 칼라복이 이번에도 시를 읊어주고 도망가려 하자 여우가 자기는 잘 못 듣는다며 코 위에 올라와서 다시 읊어 달라고 했다. 칼라복은 여우의 코 위에 올라가자 여우가 칼라복을 꿀꺽 삼켰다.

옛날 옛날에 어느 마을에서 할머니와 할아버지가 살았어요. 맛있는 것도 먹고 고양이도 키우고 잘사는 듯 했지만, 아이가 없어서 너무 외로웠어요. 그래서 어느 날 할아버지가 할머니에게 부탁했어요.

"할머니 오늘 둥근 빵 좀 구워줘요. 칼라복."

할머니는 다정한 부탁을 들어줘서 칼라복을 만들었어요. 귀엽게 만들어진, 갓 만들어진 칼라복이 너무 뜨거워서 할머니가 창문 근처에 식히기 위해서 두었어요. 그래서 그런 말 했어요.

"칼라복, 여기 있어야 돼. 도망가면 안 돼요."

그런데 칼라복이 밖에 너무 재미있어 보여서 이렇게 툭하고 도망갔어요.

집 옆에 커다란 숲 있었어요. 그 숲속으로 칼라복이 들어갔어요. 데굴데굴 굴러간 칼라복이 토끼를 마주쳤어요. 토끼는 칼라복 보고 말했어요.

"칼라복, 칼라복. 너 참 맛있게 생겼어. 내가 너를 맛 봐야 되겠다."

칼라복은 답했어요.

"토끼, 토끼. 날 먹지 마. 대신 내가 시를 읊어 줄게. 칼라복, 칼라복. 똑똑한 칼라복. 할머니 할아버지한테서 도망갔지. 토끼도 속여서 도망가 버리겠어."

그래서 도망가 버렸죠. 데굴데굴 굴러가는 칼라복은 이번에는 늑대를 만났어요.

"칼라복, 칼라복. 너 참 맛있게 생겼어. 내가 너를 잡아먹어야 되겠다."

"늑대, 늑대. 날 먹지 마. 대신 내가 늑대 위해서 시를 읊어 줄게. 나 칼라복, 칼라복. 똑똑한 칼라복. 할머니 할아버지한테서 도망갔지. 토끼도 속여서 도망가 버리겠어. 늑대도 속이고 도망가 버릴게요."

그래서 도망가 버렸죠.

데굴데굴 굴러가는 칼라복은 이번에는 커다란 곰을 만났어요.

"칼라복, 칼라복. 너 참 맛있게 생겼네. 꿀이랑 먹으면 딱이겠네."

"곰, 곰. 날 먹지 마요. 대신 내가 곰 위해서 시를 읊어줄게요. 나 칼라복, 칼라복. 멋쟁이 칼라복."

이번에도 칼라복 시를 읊으면서 도망가 버렸어요.

데굴데굴 굴러가는 칼라복은 이번에는 꾀 많은 여우 만났어요.

"칼라복, 칼라복. 너 참 맛있게 생겼어. 내가 너를 맛봐야 되겠다."

“여우, 여우. 날 먹지 마. 대신 내가 여우 위해서 시를 읊어 줄게.”

이번에도 뭐 재밌게 시를 읊으면서 칼라복이 도망가려고 했는데, 그 순간에 여우가 말했어요.

“칼라복 너 참 시가 너무 좋아. 근데 내가 나이 들어서 귀가 안 좋아요. 그래서 혹시 한 번 더 좀 가까이 내 코 위에서 읽어줄래?”

그런데 마음속으로는 여우는 그런 생각 했어요.

‘아하, 칼라복 집에서 도망쳤구나.’

칼라복이 칭찬받아서 기분이 너무 좋아서 여우의 부탁을 들어줬어요. 코 위에 올라가서는 칼라복이 시를 다시 읽기 시작했는데,

“나 칼라복, 칼라복. 멋쟁이 칼라복. 똑똑한…”

그 순간에 [조사자: 그 순간에.] 여우가 칼라복을 꿀꺽 삼켜버렸어요.

[조사자: 네, 너무 재밌다. 너무 잘 하셨어요.] (일동 웃음)

우즈베키스탄

사마르칸트의 상하지 않는 빵

● **구연정보**

조사일시 : 2017. 10. 21(토) 오후
조사장소 : 경기도 안산시 단원구 원곡동 세계문화체험관
제 보 자 : 허율리나 [우즈베키스탄(고려인), 여, 1990년생, 이주노동 5년차]
조 사 자 : 김정은, 황승업

● **구연상황**

이야기판에 동석한 중국 출신 박영숙 제보자가 〈엄이도령〉을 구연한 뒤, 허율리나 제보자가 다음 순서로 빵과 관련된 우즈베키스탄의 풍습에 대해 이야기하다가 이 설화를 들려주었다. 박영숙 제보자와 일본 출신 쿠미코 제보자가 이야기를 함께 들으면서 적극적으로 반응해서 재미있는 이야기판이 형성되었다.

● **줄거리**

우즈베키스탄에서는 지역마다 빵을 많이 만드는데, 사마르칸트에서는 2년 동안 상하지 않는 특별한 빵을 만든다. 옛날에 다른 지역 왕이 사마르칸트에서 빵을 맛보고 반해서 자기 지역에서도 그 빵을 만들어보려고 했지만 되지 않았다. 사마르칸트 지역의 밀가루, 물, 소금, 화덕, 땔감, 요리사까지 다 데려와 보았지만 역시 실패였다. 그러자 요리사는 그 빵을 만들기 위해서는 사마르칸트의 공기가 필요하다고 했다. 왕은 그 빵을 만드는 것을 포기했다.

뭐 지역마다 빵을 많이 만들어요, 지역. 우즈벡에서는 다 빵을 먹으니까. 그런데 특별한 지역이 있어요, 그 사마르칸트* 도시 있어

● 우즈베키스탄 중동부 사마르칸트(Samarkand) 주, 제라프샨 강 하류 연안 위치, 중앙아시아의 오래된 도시인 사마르칸트는 BC 329년 알렉산드로스 대왕에게 점령되었다. 6세기

요. 사마르칸트 도시. 들어 봤어요? 아무래도 모르겠지만, 거기는 아주 특별한 빵을 만들어요. 그 빵이 2년 동안 안 상해요. [청중 일동: 오오.] 2년 동안 어디서도 네, 보관해도, 2년 지나도 먹을 수 있어요, 그런 빵을. 그래서 옛날에는 이런 진짠지 아닌지 모르지만 이런 신화 같은 거 있어요.

옛날에 다른 지역 왕이 있었어요. 그래서 사마르칸트에 가서 그 빵을 먹어봤는데, 엄청 맛있더라고, 그 빵이. 그래서

'나도 우리 지역에 가서 이런 빵을 만들어 보자.'

이렇게 했었어요. 갔는데, 몇 번 만들어 봐도, 만들어 봐도 그 빵이 안 나오는 거예요, 빵이, 신기하게.

그래서

'어떻게 해야 되지? 어떻게 만들 수 있지?'

그래서 그 사마르칸트 지역에 가서 그 밀가루, 물, 그리고 소금, 이렇게 넣는 거 다 가져 오고. 화덕도, 화덕도 다 가져오고. 그 뭐죠? 그 화덕에서 뭐 태우는 나무? 태우는 뭐 그것도 숯 그것 다 옮기고 가져 왔는데. 요리사도 그 거기서 [조사자: 와, 요리사까지?] 요리사도, 네. 빵 [조사자: 완벽하게 지역만 빼놓고 다?] 네, (웃으며) 맞아요, 그거 다 가져가서 이렇게 만들어 봤는데도 그 빵이 안 나오는 거예요. 그 맛이 안 나요.

그래서 그 요리사도 그 말을 했었어요. 그 사마르칸트의 빵을 만들려면, 사마르칸트의 공기? 공기 필요하는 거예요. 그래서 그 뭐지? 그 다른 지역 왕이 포기했었어요. 그냥 그 빵을 뭐지? [조사자: 만들 수가 없구나.] 못, 못 만들 수가 없어요. (웃으며) 그래서 이런 이야기 있어요.

그래서 그 아마 우즈베키스탄에 가면 되게 유명해요. [조사자: 사

부터 투르크인, 아랍인 등의 지배를 받다가 13세기 콰레즘 왕국에 합병되었고 1220년에 징기스칸에게 점령되었다. 1365년 반란 이후 티무르 제국의 수도가 되면서 중앙아시아의 중요한 경제·문화 중심지가 되었다. 1500년 우즈베크인들이 점령하여 부하라 칸국의 영토가 되었다.

마르칸트 빵.] 사마르칸트 빵 되게 유명해요. [조사자: 응, 이야기.] 네, 이, 이런 이야기 있고요.

나브로스 날에 수말락을 먹게 된 이유

● 구연정보

조사일시 : 2017. 10. 21(토) 오후
조사장소 : 경기도 안산시 단원구 원곡동 세계문화체험관
제 보 자 : 허율리나 [우즈베키스탄(고려인), 여, 1990년생, 이주노동 5년차]
조 사 자 : 김정은, 황승업

● 구연상황

제보자가 〈사마르칸트의 상하지 않는 빵〉을 구술한 뒤에 음식과 관련된 이야기가 또 있다면서 이어서 구술했다. 3월 21일 명절 이름이 나브로스(navro'z)*로 그날 태어난 아들딸은 나브로즈와 나브로자로 부른다. 그날 먹는 전통 음식으로 수말락(Sumalak)이 있는데, 밀의 맥아와 곡분을 갈아서 오랫동안 끓인 죽이다. 이 이야기는 나브로스 날 수말락을 먹게 된 유래에 대한 것이다. 일본의 쿠미코 제보자와 중국의 박영숙 제보자가 청자로 참여해서 적극적으로 반응했다.

● 줄거리

옛날에 엄마 아빠와, 일곱 아이들이 함께 사는 가난한 가족이 있었다. 어느 날 아빠가 갑자기 아파서 죽고, 엄마 혼자 아이들을 키우게 되었다. 아이들이 밥을 달라고 하자, 엄마는 밀과 채소를 솥에 넣고 끓이면서, 고기를 넣는 것처럼 하고서 돌을 넣었다. 아침에 일어나 보니 솥 안의 물이 갈색으로 변해있고 천사 모양이 나타났는데, 먹어보니 아주 맛이 좋았다. 엄마는 그것을 아이들에게 먹이고, 가난한 이웃들에게도 나누어주었다. 이후 다른 이웃들도 그 음식을 만들게 됐다. 매년 3월 21일이 되면 함께 그 음식을 만들어서 나누어먹는다.

* 누루즈(Nowruz, 동의어 나브루즈) : 중앙아시아권 여러 나라에서 기념하는 축제로, 겨울을 보내고 봄을 맞이한다는 의미가 담긴 날이다. 중앙아시아 대부분의 국가에서 매년 춘분에 해당하는 날을 공휴일로 지정해 다양한 행사와 전통놀이를 즐긴다.

한 가족이 있었어요. 되게 가난했었어요. [조사자: 네, 가난한 가족.] 네, 아마 엄마 아빠, 애기 일곱 명이었어요, 일곱 명. 그리고 아빠가 갑자기 아파가지고 돌아가셨어요, 아버님이, 아빠가.

그래서 엄마가 혼자서 애기를, 일곱 명 애기를 키워야 되잖아요. 엄청 힘들고 어, 뭐 가난하니까 먹는 것도 없고, 애들도 계속 먹어 달라, 뭐, 뭐지? 밥을 달라고 했는데, 뭘 줘야 되는지 몰랐었어요. 그런데 이거 바로 있었어요. 어떻게 밀? [청중 일동: 아.] 밀. 그리고 그거는 조금 뭐지? 물에 담그다가 이렇게 초록색(채소) 잘라, 자라고(자르고). 발음이 죄송해요.

'갈아서 이거라도 한 번 끓여보자. 무슨 뭐가 나오는지 모르, 모르니까.'

그래서 끓이다가 보니까, 애들도

"엄마, 언제 밥이 되냐, 되냐?"

계속 물어봤어요. 그래서 엄마가

"아, 조금만 기다려라. 이렇게 고기도 여기 넣을 거다."

고 이렇게 했었어요. 그런데 고기 대신 돌 넣었어요, 돌. 돌 넣었어요. 그래서 끓이다가 끓이다가 너무 피곤해서 잠들었어요. 그래서 아침에 일어나다가 이 뭐지? 물이 이렇게 갈색으로 변했었어요. 그리고 어, 뭐지? 그리고 거기 뭐지? 그 갈색에서 이렇게 천사? 천사 모양이, 천사 모양으로 이렇게 [조사자: 헉, 천사 모양으로요?] 네, 이렇게 뭐 그림자? 어떻게 말해. 이런 그림자가 거기 있었어요. 그래서

'어, 우리 뭐지, 하늘에서 도와줬다.'고.

이렇게 생각하고 그거를 먹어봤는데, 되게 달아요, 그거. 엄청 달아요. 설탕 하나도 안 넣으면, 이렇게 계속 끓이면 달게 되는 거예요. 그래서 이렇게 그때부터 그 엄마가 그거 먹어보고,

"오, 맛있다."

애들도 먹여주고 이렇게 하다가. 그리고 이웃집들도 가난하니까 이렇게 나눠 줬었어요. 다 같이 먹게. 거기도 다 먹어보고. 그리고 다 같이 이렇게

'우리도 만들어보자.'

만들기 시작했었어요, 이렇게 딱. 그리고 서로서로 나누어 주는 거예요. 그래서 이렇게 3월 21일에 다들 이렇게 이 음식을 만들고, 이웃집들에 이렇게 나눠 주는 거예요. 먹어보게.

그리고 이런 거, 이런 말도 있어요. 만약에 일곱, 뭐지? 이거 [조사자: 애들 먹여서?] 이거, 이거. 아니요. 이거 국, 뭐지? 이거 요리를 일곱,

'일곱 개 다양한 맛, 다양한 집에서 가져와서 다 일곱 개 먹어보면, 행복하다.'고.

이런 말을 들었어요. [조사자: 아, 서로서로 이렇게 다 나눠 먹어야 되는 군요.] 네, 나눠서 먹어야 되니까.

그리고 뭐 뭐지? 엄청 큰, 어떻게 발음해야 되지? (웃으며) 이거 모르는 거. [조사자: 솥?] 솥, 솥에서 끓이니까, 마지막에 먹는 사람이 거기 돌 넣잖아요. 돌도 넣어요. 돌 먹으, 뭐지,

'먹을 때 돌이 있으면 그것 또 행복이, 행복을 받는다.'고.

이런 말이 있어요. [조사자: 오히려 밑에 다 가라앉아 있으니까요.] 네, 돌이 밑에 다 가라앉으니. 너도 왜 돌을 넣는지 그것도 궁금했었어요. 그래서 이렇게 설명했었어요, 옛날에.

겨울할아버지 마로스카와 의붓자매

● 구연정보

조사일시 : 2017. 10. 21(토) 오후
조사장소 : 경기도 안산시 단원구 원곡동 세계문화체험관
제 보 자 : 허율리나 [우즈베키스탄(고려인), 여, 1990년생, 이주노동 5년차]
조 사 자 : 김정은, 황승업

● 구연상황

중국의 박영숙 제보자가 중국의 〈물고기 방생한 어부와 욕심 많은 아내〉를 구연한 후, 조사자가 허율리나 제보자에게 이야기를 청하자 준비한 것이 아닌데 생각난다며 이 설화를 구술했다. 마로스카 이야기로, 그는 겨울할아버지라고 했다. 박영숙 제보자와 일본의 쿠미코 제보자가 청자로 참여해서 적극 반응하고 질문도 하며 재미있는 이야기판을 형성했다.

● 줄거리

옛날에 할아버지와 할머니가 살았는데, 각자 딸이 한 명씩 있었다. 할아버지의 딸은 예쁘고 부지런한 데 비해 할머니의 딸은 게을렀다. 할머니가 자기 딸을 먼저 시집보내기 위해 선 자리를 마련하고서 할아버지 딸을 숨겼다. 할머니의 딸이 거위를 잡아 요리 시범을 보이려다가 거위를 놓치고 물에 빠지자 그녀를 구하려고 할아버지의 딸이 방에서 뛰어나왔다. 그녀를 발견한 남자 가족이 할아버지 딸을 원하자 화가 난 할머니는 결혼을 무산시키고 의붓딸을 숲으로 쫓아냈다. 숲에서 겨울할아버지가 와서 안 춥냐고 묻자 딸은 춥지 않다고 했다. 겨울할아버지가 그녀를 자기 집에 데려가자 그녀는 부지런히 일을 했다. 겨울할아버지는 보석과 옷을 챙겨서 돌려보내 주었다. 그 말을 들은 할머니가 딸을 겨울할아버지한테 보냈는데 그녀는 게으르게 행동했다. 겨울할아버지가 할머니 딸을 집에 돌려보내면서 옷과 상자를 주었는데, 그 상자에서는 까치가 나왔다.

한 가족이 살았어요. 할아버지, 부모. 그래 할아버지, 할머니, 그리고 소녀 두 명, 딸 둘. [조사자: 아, 딸 둘.] 네, 할아버지 딸은 있고, 따로. 그래 할머니 딸 [조사자: 할머니 딸도 따로.] 따로 있고. 그런데 같이 살게 됐었어요, 이렇게.

그런데 할아버지 딸은 착하고 순하고 일도 잘하고 예쁘고 이렇게 했는데, 할머니 딸은 게으로고 아무것도 안 하고, 계속 잠만 자고 밥만 먹고 이렇게 하는 거예요. [조사자: 욕심은 별로 없고?] 욕심도 많아요, 욕심도 있어요. [청자(박영숙): 안 좋은 거 다 할머니다.] 네. (일동 웃음) 할머니 딸요. 할아버지 딸, 할아버지 딸 이렇게.

그리고 계속 할아버지 딸 이것저것 시키는 거예요.

"일 해요, 그것 좀."

이렇게. 그런데 할아버지는 너무 착해서 아무 말 없어요. 계속

"네, 네, 네."

하면서 이렇게 하는 거야. 그리고 결국은 이제 애들이 커서 결혼해야 되잖아요, 여자애들이. 뭐 그 할머니 욕심으로, 할머니도 욕심 많으니까, 자기 딸 먼저 보내려고 하는 거예요, 결혼을. 그런데 한 동네에서 사니까, 시골에서 사니까 다들 알잖아요. 어떤 딸인지, 어떤 뭐 성격인지, 어떻, 어떻게 하는 건지.

그리고 결국은 그 선을 보러 남자 오는 거예요. 그 할머니 딸을 선을 보러 오는 거예요. 그리고 많이, 준비도 많이 하고 인사도 시키고 했는데. 그런데 아, 하기 전에 할머니, 할머니가 어 할아버지 딸이 너무 예쁘, 예쁘니까 이렇게 숨겨버려요, 얼굴을. 이렇게 수건으로 (웃음) 숨겨버리고 이렇게. 방에서 앉아 있고, 나가지 말라고 하는 거예요. 딸, 그 할아버지. 그리고 소개팅이, 소개팅? 이렇게 해야 되나? 소개팅이 [조사자: 선 본 거.] 선 보는 거. (일동 웃음) [청자: (웃으며) 아, 시대 차, 시대 차.] 네, 이렇게 인사하면서 그 할머니가 칭찬하는 거예요. 우리 딸이 그렇게 저렇게 자라고, 열심히도 부지런하고, 일찍도 일어나고, 계속 일하고, 요리도 하고, 저렇게 저렇게 하니까, 그럼 그 남자의 어머님이 말하는 거야.

"그럼, 지금 보여주세요, 딸 지금."

[조사자: 아, 요리 잘하는가?] 요리하는 거. 밖에 나가서 거기 거위랑 닭이랑 있어요.

"거위를 잡고 요리해 달라."고.

이렇게 했었어요. 빨리 바, 바로 시범? [조사자: 시범을 보이게.]

"시범을 보여 달라."고.

"알았다."고.

당황했지만 해야 되니까 나왔었어요. 네, 그 거위를 잡다가 물에 빠지는 거예요. 이렇게 물, 거위가 도망가다가 이렇게 거기 강인가, 이렇게 빠지는 거예요. 그리고 그 할아버지 딸이 창문에서 보고, 그 뛰어 나왔어요, 구하러. 구하다가 이거 그 수건이 다 떨어지고. 엄청 예뻤었어요, 그리고. 딱 보고, 얼굴을 보고,

"아, 나 차라리 할머니 딸보다 할아버지 딸 결혼한다."

이렇게 [조사자: 그렇게 됐겠죠.] 네, 그 남자 어머니가 이렇게 말하는 거예요. 네 그리고, 그리고 뭐지? 할머니가 싫, 안 한다고 결혼을. [조사자: 아, 그래 또 가라 그랬구나.] 거절하고 가라고 했었어요. (웃으며) 네, 네. 그리고, 어 그리고 너무 화가 나가지고 할아버지 딸한테, 잠시만요. [조사자: 나오지 말라고 그랬는데, 여기 지금 나왔다 이거지요?] 맞아요.

이렇게 되니까, 할아버지한테 딸을 데리고 숲속에 뭐지? 두고 가라고 하는 거예요. 그냥 거기 두고. 두고 오라고 하는 거, 버리라고 하는 거예요, 네. 그래 할아버지는 너무 착해서 그냥

"네, 네."

하면서 어쩔 수 없이 딸을 숲속에 놨는 거예요. 네, 그래 그때는 딱 겨울이 되는 거예요. [조사자: 어, 겨울이구나.] 네, 놔두면서 이렇게 설명하다가, 이렇게 할머니가 이렇게 말했었어요. 그래 그 딸도 착해서 알았대요.

"내가 여기서 괜찮아요. 놔두고 가요."

이렇게 하는 거. [조사자: 슬픈데요, 결혼 하는 게.] 아, 너무 길어요. (웃음) 이렇게 되는 거예요.

그리고 겨울인데 엄청 추워요. 그 아가씨가, 그 여자, 그 애, 아가

씨 어떻게 불러야 되지? [조사자 2: 아가씨, 괜찮아요?] 아가씨 괜찮아요? [조사자: 네, 아가씨 좋아요. 네.] 아가씨가 이렇게 큰 나무 밑에 앉았었어요. 그때가 그 겨울할아버지 오는 거예요. 네, 이렇게 그 숲이 잖아요. 그 관리, 관리하러 이렇게 숲을 구경하다가 그 아가씨를 [조사자: 할아버지 보셨구나.] 보게 되는 거예요.

"아, 춥냐고 안 춥냐?"고.

물어 보고. 그래 아가씨는 계속

"안 추워요, 안 추워요."

겨울할아버지니까. 추워하면 그 할아버지도 안 좋, 안 좋아해요. 겨울이, [청자: 아.] 겨울할아버지니까. [청자: 착하다.] 네. 그래서 계속

"아니요. 안 추워요, 안 추워요. 따뜻해요, 따뜻해요."

하다가 그 할아버지가

"오, 착한 애구나. 겨울을 그렇게 싫어하지 않고, 춥다하지 않고."

이렇게 하고, 집에 데려가는 거예요. 그래서 거기서 그 아가씨가, 그 할아버지 딸이 열심히 집안일 하고, 요리도 해주고, 이렇게 이렇게 다 보다가, 할아버지가 너무 착해서 잘 해, 부지런하니까, 애가

"집에 보내라."

고 하는 거예요, 보내라고. 그리고 보낼 때, 다 뭐 예쁜 옷, 뭐 보석 같은 거 다 챙기고 보내주는 거예요. 그런데 그 딱 집에 왔을 때, 그 할머니가 보는 거예요, 이거. 너무 화가 나는 거예요. [조사자: 그렇죠.]

"왜 이렇게 되는 거예요?"

그리고 자기 딸도 이렇게

"가서, 숲에서 보내라."고.

하는 거예요. 그래 똑같이 되는 거예요, 이런 상황이. 그리고 할아버지가 이렇게 데려오는 거예요, 집에. 네, 그 게으, 게으르니까, 아무것도 못하니까, 이렇게 이런 모습을 지켜보면서,

"알았어요. 너도 이렇게 집에 보내다, 보내준다."

고 하고. 근데 옷을 줘, 줬지만 그 상장? [조사자: 상자.] 상자도 주는 거예요.

그래 집에 도착하자마자 그 상자를 여는 거, 열고나서 거기 가치? 까치단. 아무, 아무것도 없어요, 까치 날라 와요. [조사자: 까치가 나와요. 상자에서?] 네, 까치가 나오는 거예요. 그래서 이렇게 끝나는 거예요, (웃으며) 이 얘기.

[조사자: 음, 거기는 까치가 나와. 까만 상자에서 까치가 날아 왔군요?] 네, 네. 까치가 나오는 거예요, 이렇게. 끝나는 거, 끝나는 거예요. [조사자: 아, 좋아요.] 네, (웃으며) 여기까지.

의붓자매 줌라트와 흠마트

● **구연정보**

조사일시 : 2017. 10. 21(토) 오후
조사장소 : 경기도 안산시 단원구 원곡동 세계문화체험관
제 보 자 : 샤히스타 [우즈베키스탄, 여, 1987년생, 결혼이주 9년차]
조 사 자 : 김정은, 황승업

● **구연상황**

제보자가 〈둥근 칼라복과 꾀쟁이 여우〉의 구연을 마친 뒤 준비한 이야기를 다 했다고 말했다. 조사자가 기억나는 이야기를 물으면서 〈콩쥐팥쥐〉 같은 이야기가 있냐고 했더니 있다고 하며 들려주었다. 인도네시아 출신의 수산티 제보자와 태국 출신의 사이암랏 제보자가 청중으로 함께 했다.

● **줄거리**

예전에 마음 착한 줌라트가 아빠와 살았는데, 아빠가 재혼을 해서 새엄마와 그 딸 흠마트와 함께 살게 되었다. 새엄마와 흠마트는 항상 줌라트를 괴롭히며 일을 시켰다. 하루는 새엄마가 줌라트와 살 수 없다고 남편에게 숲에 버리라고 했다. 숲에 홀로 남겨진 줌라트는 아빠를 기다리다가 어느 할머니를 만나서 따라가게 되었다. 줌라트는 할머니 집에서 일을 하며 할머니를 잘 돌봐주다가 아빠가 보고 싶다고 말했다. 할머니는 하얀 대문으로 들어가서 상자에 앉게 했는데, 그 말대로 하자 집에 도착했다. 새엄마가 상자를 열어보니 안에 줌라트가 금과 함께 있었다. 욕심이 난 새엄마는 남편에게 흠마트를 숲속에 두고 오게 했다. 숲속에 남겨진 흠마트가 할머니를 만나서 집에 갔는데 할머니한테 냄새가 난다고 구박하면서 집에 갈테니 선물을 달라고 했다. 할머니는 흠마트에게 검은 대문으로 들어가 상자를 가져오게 했는데 흠마트는 그 상자를 들고 숲으로 와서 엄마를 만났다. 상자를 열고서 금을 발견한 모녀는 금을 가지려고 상자에 들어갔다. 그러자 상자가 닫혀 데굴데굴 굴러갔고 모녀는 거기서 나올 수 없었다. 줌라트는 아빠와 행복하게 살았다.

그 이제 착한 소녀랑 악한 소년데. 이름은 '줌라트' [조사자 2: 줌라트?] 라트. '줌라트와 큼마트' '흠마트'. 그 '줌라트'하고 '흠마트'는 이거 여자 이름이에요. 소녀 이름인데, 그 줌라트는 아빠, 아빠가 데리고 온 딸이고. 근데 착한 소녀. [조사자 1: 착해요?] 응, 착해요. 그런데 흠마트는 그 새엄마가 데리고 온 소녀고, 딸이고. 얘는 이제 약간 조금 음. 아, 약간 이제 욕심도 많고, 모두 막 이제 줌라트 항상 괴롭히고, 그런 이제 역할로 나오는데.

이제 그 새엄마, 그 이제 줌라트 아빠가 그 흠마트 엄마를 새엄마로 만나가지고 재혼을 해요. 재혼을 하고서 이제 한참 새엄마가 우리, 예 우리나라도, 예 한국에도 그런 얘기가, 얘기들이 있지만, 그 흠마트, 그 흠맛(흠마트)이 줌라트 항상 괴롭히고, 막 때리고. 그래서 일도 시키고, 모든 거 다 시키고 막 해요. 그러다가 이제 이제 그 새엄마가 도저히 나는 아빠한테,

"나 니 딸을 도저히 같이 못 살겠다. 볼 때마다 열 받고, 막 해서 우리를 괴롭히고. 너 없을 때 우리한테 막 그 모든 일을 시키고 막 이래서 나 너무 힘들다."

그랬는데. 그런데 그 아빠가 너무 약해요. (웃으며) 집안에서 너무 약하다보니까,

"너 딸 데리고 멀리 가서 길 잃어버리게 버리고 와라."

[조사자 1: 아빠한테요?] 응. 그러다가 아빠는 새엄마 무서워하고, 이제 딸 데리고

"우리 멀리 여행가자. 너 여기 있으면 너무 힘들게 사는구나."

하고선 이제 데리고 가요. 걷다 걷다 이틀 걷다 보니까, 이제 먼 산마을에 도착해서

"너 여기 니 옷가방을 들고 여기 있어. 나는 먹을거리 찾아올게."

아빠가 다시 데굴데굴 굴러가다 집으로 떠나버려요.

그러다가 그 소녀는 매시간 앉아서 아빠를 기다리다가 옆에서 이제 할머니가 지나가요. 할머니가

"오, 착한 소녀야. 너 여기서 깜깜한데 뭐 하니?"

하니까,

“저 아빠를 기다리고 있어요. 아빠가 먹을거리 찾아온다 그래서 꼭 여기서 앉으라 그랬어요.”

그랬더니,

“여기 여기 오면, 밤에 곰도 있고, 막 여우도 있고 늑대도 있으니까, 너를 잡아먹을 수도 있으니까 우리 집에 가라.”고.

그러다가 그 할머니가 데리고 가요. 이제 할머니가 데려 가서, 할머니는 이제 약간 마법이 있는 할머니인가 봐. 할머니가 가는데, 그 착한 소녀가 할머니 집에 가서 청소도 하고, 빨래도 하고, 할머니 머리 그 빗질해서 그냥 꾸며주고 막 하고, 할머니를 엄청 잘 돌봐 줘요.

그러다가 일주일이 지나서 그 착한 소녀가 우연답게(우연하지 않게) 지붕에 올라가서 멀리에서 보이는 자기 집을 보여요. 자기 집이 보여서 눈물을 흘리고 있을 때 할머니가 와가지고

“어, 우리 집이 마음에 안 드니? 너 왜 울어?”

이래 물어보다가,

“아니에요. 집 생각이 나서 조금 눈물이 났어요.”

하다가,

“너 집에 가고 싶구나. 그럼 집에 갈래? 내가 길 안내해 줄까?”

하면, 그래 이제 아빠 보고 싶어서 착한 소녀는

“네.”

라고 하다가,

“그럼 너는 지하에 내려가서 하얀 대문 있고, 검정색 대문 있어. 하얀 대문으로 들어가서 거기에 작은 상자가 있을 거야. 그 상자를 갖고 올라 와라. 그 상자가, 그 상 위에 앉으면 상자가 너의 집까지 데려 줄 거다.”

그 얘기를 하다가, 이제 그 상자를 찾아와요. 착한 소녀 찾아와서 할머니랑 인사하고,

“할머니랑 헤어지기, 헤어지기 싫은데, 그런데 저 아빠도 보고 싶어요. 아빠가 집에서 엄청 힘들 거예요.”

하면서 이제 집으로 떠나요. 상자 위에 앉아가지고. 그러다가 갑자기 새엄마를, 새엄마를 이제 집 앞에 만나가지고, 새엄마랑 흠마트

는 그 착한 소녀 눈에 안 보이고, 올릿 그 올리라니. (웃음) 착한, 에, 상자에서 뭐가 들어가 있는지 궁금하고, 빨리 열으라고 막 때리고 막 그래요. 그런데 상자를 딱 열었더니, 금이 엄청 막 넘쳐요. 금이 넘쳤는데. 그런데 욕심 난 새엄마가 이제 아빠를 부르고 와요.

"너 애를 어디다 두고 왔어? 내 딸도 빨리 가서 거기 두고 와."

하면서 욕심내는 거죠.

그러다가 아빠가 그 여자를 데리고, 다시 거기까지 데려다 주고,

"여기 앉아 있으면 나는 간다."

하고선 와요.

거기서 똑같이 또 할머니가 지나가요. 그 할머니 지나가는데,

"너 여기서 뭐해?"

이야기가 또 이제 반복을 하면서 다시 할머니 집에 가요. 할머니를 엄청 괴롭히고, 할머니 집이 맛없다고 막 그릇 던지고.

"어, 할머니 왜 이리 냄새나요!"

막 소리 지르고 막 이랬는데. 그런데

"할머니, 나 이제 집에 갈 거야!"

그러다가 할머니가

"그래, 잘 가라."

하는데,

"손님이 가는데, 아무것도 안 줘?"

(일동 웃음) 그러죠. 그래서

"그래?"

이제 할머니는 어느 정도 눈치를 채시겠지. 그러다가

"그럼 너도 지하에 내려가서 하얀 대문 있고, 검정색 대문 있어. 너 검정색 대문 들어가서 상자를 꺼내고 와."

하다가, 그 흠마트는 욕심 많아가지고 말을 끝까지도 듣지도 않고 지하 내려가요. 내려가서 검정 대문에 있는 상자를 들고 와요. 그러다가

"할머니 나 갈게."

하고서 이제 인사도 안 하고 자기가 그 이제 줌라트는 상자 위에

올라가서 상자가 집까지 데려다 줬잖아. 그런데 그 상자가 안 가요. 상자를 끌고 와야 돼요. [조사자 일동: 아.] 응, 상자를 막 힘들게 끌고 오다가, 딸을, 그 아빠가 딸을 두고 간 장소에서 제 엄마가 궁금해가지고 거기까지 와서 기다리고 있어요. 그런데 있다가

"야, 딸이야, 빨리 와. 빨리 와라, 빨리 와라!"

하다가 열었는데, 안에 황금, 예 금이 하나 있어요. 그러니 황금, 그 둘이 금 가지, 가지겠다고 상자 속에 이렇게 이렇게 하다가 상자 속에 떨어졌다가, 갑자기 상자가 문을 닫고 데굴데굴 상자가 가요.

그러다가 이야기를 끝났는데. (웃으며) 이렇게 이야기 끝나고 이제, 그 이제 그 착한 소녀랑 아빠는 이제 재혼을 안 하고 끝까지 행복하게, 그렇게 가져온 재산으로 아무 어려움 없이 살았다는데. 그 대신 이제 아주 못된 새엄마랑 그 딸이 그 상자 속에서 평생 살게 되었다고 얘기를 하시더라고요. 그래서 저희가 그 얘기를 듣고, 못된 일을 하다가 그 이야기를 들으면서

'우리 착하게 살아야 된다.'고.

(웃으며) 항상 우리 부모님들이 꼬셨거든요. 그래서 [조사자 1: 그럴 때 얘기해주시는 구나.] 어, 어 그럴 때마다 저희 엄마 이거 들려주고,

"너, 이 그런 일을 하면 그 여자처럼 너 상자 속에 떨어져서 막 데굴데굴 또 굴러간다."

막 그러시고 하시더라고. (웃음)

황새가 물어다준 수박씨

● **구연정보**

조사일시 : 2018. 11. 23(금) 오전
조사장소 : 경기도 안산시 원곡동
제 보 자 : 허율리나 [우즈베키스탄, 여, 1990년생, 이주노동 6년차]
조 사 자 : 김정은, 강새미

● **구연상황**

제보자가 조사자를 만나 첫 순서로 구연한 이야기다. 제보자는 우즈베키스탄에서 러시아 이야기를 많이 듣고 자랐는데 전에 들었던 이야기 중에서 기억나는 것들을 준비했다고 하며 이야기를 시작했다. 일본의 쿠미코 제보자와 인도네시아의 수산티 제보자, 중국의 박영숙 제보자가 청자로 참여했다.

● **줄거리**

옛날에 가난한 사람이 살았는데 황새가 다친 것을 보고 날개를 치료해 주었다. 일 년 후에 황새가 와서 수박씨 세 개를 주고 갔다. 수박씨를 심자 커다란 수박이 열렸는데, 이웃사람들과 함께 자르자 돈이 가득했다. 그는 돈을 이웃사람들과 나눠가져서 함께 부유해졌다. 이를 본 부자가 황새 날개를 일부러 부러뜨리고는 일 년 후에 세 개의 수박씨를 받았다. 수박이 열려서 잘라보니까, 벌들이 나와서 부자를 물었다.

가난한 사람이 살았어요. 농사하면서 살았는데 땅이 완전 많이 없었어요. 작은 땅이었어요. 그래서 열심히 그 땅을 파고, 열심히 보호하고 치우고 했는데.

어느 날 하늘에서 갑자기 황새가 날아오다가 갑자기 떨어졌어요. 무슨 일인지 남자가 갔는데, 봤는데 황새가 날개 부러졌어요. 날개 부러졌으니까 떨어지는 건데. 그래서 그 남자가 황새가 좋은 새니까 집에 가져가서 치료해야 되는 거예요. 그래서 집에서 데려가서 열심히 치료하고 먹이도 주고, 새가 다 나아가지고 그냥 날아갔어요.

"고맙다."고.

아무 말도 안 하고 그냥 갔어요. 그 남자가 계속 농사하면서 그런데 아무도 안 났어요, 그 땅에서. 뭐 심어도 잘 안 났던 거예요.

그래서 일 년이 지나서 봄이 왔어요. 봄이 왔고 또 그 황새가 그 땅으로 왔어요. 그 남자한테 아무 말 안 하고 수박씨 세 개만 이렇게 줬어요. 수박씨 세 개 주고 날아갔어요. 남자가,

"이거라도 심어볼까요? 이거라도 자랄 수 있는지."

그래서 심었고 열심히 물 주고 키우고 했는데, 수박이 세 개가 엄청 큰 수박이 컸어요. 사람보다 더 컸어요.

'친척들이랑 같이, 이웃집들이랑 같이 먹어야 되겠네.'

하면서 그 수박을 자르고 집으로 갖고 왔어요. 갖고 왔고, 친척들도 부르고, 가난한 이웃집들 다 같이 불렀어요. [조사자: 그렇게 많았군요.] 네, 수박이 커서, 세 개니까.

"다 같이 먹을 수 있다."고.

하고 다 불렀는데, 그리고 자르기 시작했어요. 혼자서 잘랐는데 잘 안되더라고요. 그래서 다 같이 힘으로 수박을 잘랐는데. 왜 이렇게 수박 자르면 드르륵 소리 나면서 열렸는데 수박 아니고 동전 엄청 많더라고요. (웃으며) 해피엔딩, 동전 엄청 많았고. 남자가 깜짝 놀랐어요.

'이거는 학(황새)이 고마워서 줬던 거예요.'

이렇게 생각 들었어요.

'동전을, 돈들 나눠야 되겠네. 이웃집들이랑.'

그걸 다 이렇게 이웃집을 나눠서 그때부터 좀 괜찮게 살게 됐어요.

그런 모습을 부자, 땅이 많은 사람 한 명 부자가 있었어요. 그거 알게 됐어요.

'어떻게 이렇게 가난했는데 괜찮게 살게 됐는지 가서 물어봐야겠다.'

부자가 가서 물어봤는데, 남자가 다 설명해줬어요.

"황새가 나타났고."

이런 거 다 알려줬어요.

'아! 그렇구나. 나도 밭에서 가서 기다려야겠구나.'

밭에서 숨어서 한참 기다렸어요, 황새가 나타나는 거. 그리고 어느 순간 황새가 나타났어요. 황새를 몰래몰래 돌로 던졌어요. 날개를 부러뜨리려고. 부러뜨렸는데 황새가 땅에 떨어지고 다가가서 불쌍한 척하며,

"황새가 다쳤는데 내가 치료해야 되겠네."

이렇게 하면서 데려갔어요. 집에 데려가고 똑같이 치료하고 보호했고, 똑같이 황새가 다 나았고 갔어요. 똑같이 일 년 지나고 봄이 됐을 때 부자가 다시 밭으로 가서 기다렸던 거예요.

'언제 오는 건지. 언제 오는 건지.'

황새가 나타났고 똑같이 수박씨 세 개 주고 갔어요. 부자가 빨리 심고 빨리 물주고. 거기도 똑같이 수박 세 개 크게 자랐어요. 그 부자가,

'안 되겠다. 내가 몰래 집에 가져가서 부자 가족만, 우리끼리만 수박을 까야 되겠다.'

가져가서 첫 번째 수박을 잘랐는데, 자르기 똑같이 어려웠어요. 수박이 딱 열렸는데 거기서 벌들이 엄청 많이 다 나왔어요. 그리고 다 물리기 시작했어요.

'안 되겠다.'

두 번째도 까고 똑같이 벌들이. 세 번째도 똑같이 벌들이 다 나왔어요. 끝까지 자르고 벌들이 물리기 시작하고 도망가기 시작했고, 도망가다가 물에 들어갔어요. 그렇게 끝나는 거예요.

꽃에서 나온 엄지공주

● 구연정보

조사일시 : 2018. 11. 23(금) 오전
조사장소 : 경기도 안산시 원곡동
제 보 자 : 허율리나 [우즈베키스탄, 여, 1990년생, 이주노동 6년차]
조 사 자 : 김정은, 강새미

● 구연상황

일본의 쿠미코 제보자가 〈대나무에서 나온 가구야공주〉를 마치자 허율리나 제보자가 우즈베키스탄에도 같은 이야기가 있다며 구연을 시작했다. 쿠미코 제보자와 인도네시아의 수산티 제보자, 중국의 박영숙 제보자가 청자로 참여했다.

● 줄거리

꽃을 좋아하는 여자가 살고 있었는데, 꽃에서 아주 작은 엄지공주가 나왔다. 어느 날 두꺼비가 엄지공주를 자신의 아들과 결혼시키고 싶어서 납치하려고 했다. 그러자 제비가 엄지공주를 구하려다가 날개를 다쳐 떨어졌다. 땅에 떨어진 엄지공주는 쥐와 함께 살게 되었는데, 쥐가 엄지공주를 부자인 두더지와 결혼하게 했다. 엄지공주는 두더지 집에 가다가 다친 제비를 발견하고 돌봐주었다. 봄이 되어 제비가 낫자 엄지공주는 제비에게 부탁해서 두더지와의 결혼식 날 도망쳐 나왔다. 엄지공주는 꽃들의 작은 왕자와 만나 결혼했다.

한 여자가 살았어요. 애기도 없고 남편도 없고 하니까, 혼자니까 꽃을 되게 좋아했어요. 한 번 꽃씨 받는 가게 갔는데,

"되게 예쁜 꽃이 핀다."고.

꽃씨를 팔았어요. 꽃을 심어서 물을 주고 했는데 화분에서 꽃이 피고 저녁에 보름달에 꽃이 열렸어요. 밤에 열렸는데 거기서 엄청

작은 공주님이 나왔어요. 그 공주님 이름이 '쥬이모어보지카' 했어요. [조사자: 우리나라 말로 하면 어떻게 될까요? 대충.] 너무 작아서 센티 그거 있잖아요. [조사자: 아, 몇 센티 공주 이런 식으로.] 네, 그거 표시하는 걸 이름으로 써요. (한국어로 어떻게 번역해야 할지 잠시 고민하다가) 인치, 1인치 공주. [청자(박영숙): 엄지공주 그런 거 있어.] 너무 예쁘고, 그렇게 하고 여자가 엄청 좋아했고요, 그 공주를. 잘 키우고 저녁이 되면, 달이 나오면 접시에다가 호수를, 물을 주고 만들고 나뭇잎 넣고 이렇게 배처럼 태우고 이렇게 했어요.

근데 어느 날 창문 열고 잤는데 그 옆에 연못이 있었는데 거기 개구리 왕비 있었어요. 개구리 말고 그 위에 뭐지. [조사자: 두꺼비?] 네, 두꺼비 있었어요. 그 두꺼비가 너무 인치공주가 예뻐서 아들이 있었어요. 그래서 훔쳤어요. 그 인치공주를 훔치고 자기 아들이랑 결혼시키려고 하는 거예요. 근데 인치공주는 친한 친구가 제비가 있었어요. 그래서 다음 날 아침이 되고 훔치는 거 제비가 알게 됐고요. 제비도 없으니까 공주가. 그래서 구하러 갔어요, 그 인치공주를. 구하다가 그 인치공주를 구하다가, 날아가다가 다쳤어요. 다치고 떨어졌어요, 땅에서. 그래서 인치공주도 땅에서 집이 없으니까 어디로 가야 하는지 모르고 어떻게 해야 되는데. 거기 옆에 쥐 집 있었어요. 그래서 그 쥐가,

"알았어. 내가 추우니까, 이제 겨울 오니까 추우니까 우리 집에서 살아."

근데 대신 청소하고 이거저거 시키는 거예요. 시키고 하니까 인치공주 다 하는 거예요. 근데 그 쥐 이웃집 있었는데, 이웃집은 땅에서 이렇게 파는 거 눈 안 보이고. [조사자: 두더지.] 두더지가 엄청 부자였어요. 그 쥐랑 되게 친했어요. 쥐가,

"내가 돈 벌기 위해서 내가 팔게. 이 인치공주 엄청 예쁘고 날씬하고 엄청 피부도 하얗고 하니까."

근데 두더지 안 보이니까,

"알았어. 내가 살게."

돈 주고 사고 결혼하려고 하는 거예요. 두더지 집으로 데려갔어

요. 두더지 집 땅 밑에 엄청 커요. 그래서 거기 인치공주 따라 돌아다니니까 거기 제비를 찾았어요. 그 땅에 떨어진 제비가 추우니까 다 얼어버렸어요. 얼어버리고, 근데 그 제비를 계속 돌봐주고 치료하고 하니까 제비가 살아났어요. 살아나고 제비한테,

"내가 두더지랑 결혼하고 싶지 않고 날 데려다줘. 구해줘."

하니까 제비가,

"지금 추우니까 봄이 되면 같이 가자."

이렇게 하는 거예요. 그래서 치료하다가 다 나았고 봄이 왔어요. 딱 봄이 결혼식 하려고 하는 거예요, 두더지가.

'빨리 도망가야겠다.'

그래서 제비를 타서 도망가는 거예요. 딱 나왔는데 벌써 봄이 왔으니까 꽃이 피고 엄청 나무들도 피고 하니까. 그리고 거기서 꽃들의 작은 왕자님 있었어요. 이렇게 끝나는 거예요. (웃으며) 그 왕자님 보고 엄청 예쁘고 딱 반했어요, 첫눈에. 그래서 결혼했어요.

개구리 공주와 결혼한 막내 왕자

● **구연정보**

조사일시 : 2018. 11. 23(금) 오전
조사장소 : 경기도 안산시 원곡동
제 보 자 : 허율리나 [우즈베키스탄, 여, 1990년생, 이주노동 6년차]
조 사 자 : 김정은, 강새미

● **구연상황**

일본의 쿠미코 제보자가 〈혀 잘린 참새〉 구연을 마친 뒤 참석자들이 잠시 각 나라 이야기의 특징에 관해 대화를 나누었다. 허율리나 제보자가 우즈베키스탄과 중국 이야기의 공통점에 대해 설명하다가 구연을 시작했다. 쿠미코 제보자와 인도네시아의 수산티 제보자, 중국의 박영숙 제보자가 이야기를 함께 들었다.

● **줄거리**

왕에게 아들 세 명이 있었다. 아들들이 장가갈 때가 되자, 왕은 아들들에게 활을 쏘아서 그 활이 떨어지는 집에 있는 여자와 결혼하게 했다. 첫째, 둘째는 모두 부잣집 딸과 결혼했는데, 막내가 쏜 화살은 개구리가 주워서 막내는 개구리와 결혼하게 됐다. 왕이 며느리를 시험하기 위해 과제를 냈는데 막내며느리 솜씨가 가장 마음에 들었다. 막내아들이 아내가 일하는 모습을 몰래 훔쳐봤는데 개구리가 껍질을 벗고 아름다운 아가씨로 변해서 일을 하고 있었다. 막내는 개구리 허물을 태워버렸고, 아내는 마법사가 사는 왕국으로 간다며 사라져버렸다. 막내왕자는 아내를 찾기 위해 길을 나서서 여러 시험을 거친 끝에 알 안에 들어 있는 바늘로 마법사를 죽이고 아내를 되찾았다.

어느 동네에서 왕이 살았어요. 왕비 없고 왕이 살았는데 아들 세 명이었어요. 큰아들이랑 둘째 아들은 게으르고 말을 안 듣고 했고요.

막내아들은 착하고 말도 듣고 부지런하고 했고요. 그래서 애들이 세 명 다 자랐으니까 장가가야 되는 거예요. 장가가야 되는데 왕 아빠가 말했어요.

"넓은 밭에서 나와서 활을 쏴요. 어느 쪽에, 어느 집에 활이 가면 그 여자랑 결혼해요."

그래서 큰아들 나왔고 활을 쏘고 부자 딸이랑 결혼했고요. 둘째 아들도 똑같이 부자 딸 결혼했고요. 부잣집들이니까 아가씨들이 똑같이 게으르고 밑에 사람들 있으니까 일도 제대로 못 하고 그런 거예요. 결혼했고요, 결국은 막내가 나왔어요. 막내가 나와서 활을 쏘려고 하는데 말 타고 있었어요. 갑자기 말이 이렇게 뛰었어요. 그리고 활이 엄청 높게, 엄청 멀리 갔어요. 그러더니 숲속으로 들어갔어요. 활을 찾으려고 숲속에 들어가서 찾는데 거기 어느 연못에서 개구리가 활을 잡고 있어요, 입에, 개구리가. 그래서 활을 가지려고 했는데 그 개구리가 말하는 거예요.

"저를 데려가요. 데려가서 결혼해요. 제가 결혼해주면 고맙게 다 해주는 거예요."

그래서 막내아들이 어쩔 수 없이 데려갔어요. 그래서 개구리랑 결혼하게 됐어요. 왕 아빠가 별로 마음에 안 들었지만 어쩔 수 없이 이렇게 됐으니까 결혼시켰어요.

그리고 다 결혼했으니까 왕 아버지가,

"제가 며느리들을 시험해 보고 싶어요."

이렇게 하는 거예요.

"제가 옷을 만들어야 되니까, 예쁜 천을 실크로 만든 천을 하루, 오늘 저녁 아침까지 해 와요."

실만 주고 이렇게 땋는 거예요. 다 줬는데 큰 두 명 며느리들이 밑에 사람들한테 시켰어요, 일부러. 자기들 잠들고. 근데 막내 개구리 며느리가 밤이 되면 아가씨로 변하는 거예요. 아가씨로 변하고 열심히 혼자서 하는 거예요. 밤 동안, 하루 동안 밤새 이렇게 땋는 거예요. 엄청 꼼꼼하게 엄청 잘 만들었어요. 그래서 아침에 되고 아들들이 가져오는 거예요. 아빠한테 그 물건을. 큰아들이랑 두 명 아들이 가져왔는데 별로 안 좋아요. 만드는 것도 안 좋고 딱딱하고 안 좋은 거예요. 근데 막내가 가져왔는데 완전 부드럽고 예쁘고 살아있는 그림 같아. 이런 거 갖고 왔고요.

"너무 마음에 들었다."

고 하는 거예요 왕 아빠가.

"그럼 두 번째 시험 해 본다."

고 하는 거예요.

"두 번째는 빵을 만들어 달라."고

"가볍고 부드러운 빵을 만들어 달라."고

"밤 안에 만들어 달라."

두 며느리들 똑같이 시키고 하는 거고, 막내는 다시 아가씨로 변하고 만들기 시작했는데 막내아들이 어떻게 만드는 건지 궁금해서 가봤어요. 살짝 봤는데 아가씨로 변하고 바닥에 개구리 껍질이 있었어요.

'아, 내가 이 껍질을 태우면 이제 계속 아가씨로 있을 거구나.'

하면서 몰래 잡고 화덕에 버렸어요. 타기 시작하는데 아가씨가 그거 봤어요.

"왜 태웠어요? 하루 더 기다리면 내가 완전히 아가씨로 변하는 거예요. 왜 그거 태웠어요."

그리고 조금씩 사라지게 되는 거예요. 사라지면서

"제가 이제 마법사, 나쁜 사람 돌아가야 돼요."

없어지는 거예요. 없어지면서,

"나를 거기서 찾아라, 멀리 멀리서. 산 몇 개 지나서 숲도 몇 개 지나서 와서 나를 찾아라."

이렇게 하는 거예요. 근데 찾으면 마법사가 그냥 안 죽어요. 죽이면 안 죽는 거예요.

"마법사 삶이 바늘이 있어요. 근데 그 바늘은 알 안에 있어요. 그 알은 오리 안에 있고요. 그 오리는 토끼 안에 있고요. 그 토끼는 큰 상자 안에 있고요. 그 상자는 오크나무, 숲속에 있는 큰 오크나무 위에 걸어놔 있어요. 그 상자 찾으면 그거 다 까면 바늘을 똑 하면 그때 그 마법사가 죽는다."고.

그렇게 말했던 거예요. 그래서 사라졌어요.

그래서 막내아들이 찾으러 가다가 며칠 뛰었다가 결국 그 나무를 찾았어요. 나무 엄청 높은데 올라가고 그 상자를 떼고 열었는데 거기 토끼 나왔어요. 토끼가 도망가기 시작하는 거예요. 쫓아가면서 토끼를 활을 쏘고 토끼 죽었어요. 토끼 죽었는데 거기 오리 나타나는 거예요. 또 쫓아가면서 그 오리를 죽였어요. 오리를 죽이고 알. 그 알이 바다에 떨어졌어요. 어떻게 해야 되는지 모르는 거예요. 그때는 바다에서 물고기들이 도와주면서 알을 다시 뱉었나, 돌려줬어요. 그 알을 까면서, 엄청 큰 돌로 까면서 거기 엄청 얇은 바늘 있어요. 그래서 바늘 뚝 했는데 마법사가 죽었어요. 그리고 마법사 집 무너지고 거기서 아가씨가 나와서 행복하게 살았습니다.

[조사자: 그 마법사가 바바야가라는 할머니는 아니고?] 아니 남자. 그 바바야가 따로고 남자가 위에, 그 바바야가 위에 있는. '카시에이' [조사자: 카시에이라고 불러요? 그 마법사를? 남자 마법사를 이렇게 부르는구나.]

황금 사과

● **구연정보**

조사일시 : 2017. 10. 21(토) 오후
조사장소 : 경기도 안산시 단원구 원곡동 세계문화체험관
제 보 자 : 샤히스타 [우즈베키스탄, 여, 1987년생, 결혼이주 9년차]
조 사 자 : 김정은, 황승업

● **구연상황**

샤히스타 제보자가 한국에 이주해서 살게 된 사연을 들려준 뒤 인도네시아의 수산티 제보자가 〈뒤집어진 배 산과 엄마 산의 유래〉를 구연했다. 이 이야기에 이어서 샤히스타 제보자가 우즈베키스탄의 대표적인 이야기라면서 이 이야기를 구연했다. 조사자의 개입 없이 스스로 재미있게 이야기를 이어나갔다. 수산티 제보자와 태국의 사이암랏 제보자가 이야기를 함께 들었다.

● **줄거리**

옛날에 부유한 농부가 살았는데 아무리 돈이 많아도 가난한 농부의 집처럼 웃음소리가 들리지 않았다. 부자 농부가 가난한 농부에게 웃는 이유를 묻자 자기 집에 황금 사과 2개가 구르고 있어 행복하다고 했다. 부자 농부는 금으로 황금사과를 만들어서 굴려 봤지만 웃음이 나오지 않았다. 그가 화가 나서 다시 가난한 농부를 찾아가 물어보니 황금 사과는 자신들의 아이들이라고 답했다.

이제 옛날 옛날에 어느 마을에 가난한 농부 있고, 그래 이제 아주 잘 사는 욕심 많은 부자 농부가 살았는데, 부자 농부는 그냥 아내와 함께 살았고, 이제 가난한 농부는 아들 두 명하고 아내와 함께 살았는데. 그런데 이제, 그 이제 가난한 농부 집안이 항상 시끄럽고 막 요란스럽고, 항상 웃음소리가 나고, 누구 볼, 누구 보기에는 너무 행

복했던 그 모습이 보였나 봐요.

그거를 봤을 때마다 이제 부자 농부가 이제 막 너무 얄미웠고, 너무 부러워했고, 그리고

“아, 얘는 왜 가진 것 없고 빚도 많은데. 밥 한 끼 먹기 힘든데, 왜 저렇게 항상 행복하고, 왜 항상 웃을까?”

이제 아내가 그 부자 농부한테 물어본 거예요. 그래 부자 농부는

“기다려 봐. 내 가서 그 비법을 한 번 물어보고 올게.”

그래서 이제 그 이웃집 옆에 가다가 이제 문을 두드리면서, 이제 그 농부, 가난한 농부한테 물어본 거예요.

“너 이제, 너 나 알다시피 너 이제 힘들게 살고, 하루하루가 힘든데 왜 항상 웃고 행복하니? 그 비법이 뭔지 나한테도 좀 알려줘. 나도 이제 아내와 함께 행복하게 살고 싶다.”

그렇게 얘기를 하다가, 이제 가난한 농부 말은

“아, 내 집에 황금 두 사과가 있는데, 그 황금 두 사과가 항상 데굴데굴 구르고, 그 황금사과 때문에 나는 항상 행복하고 웃음이 난다.”

그래 얘기를 하는데, 이제 부자 농부는 그 얘기를 그대로

‘아, 얘는 집 안에 황금사과가 있어서 황금사과를 두르면, 구르면, 아 웃음이 나는구나!’

그 생각이 들다가 집에 가서 아내한테,

“금 상자를 가져와라. 우리 시장가서 모든 상자로 황금사과를 만들고 오자.”

그리고 시장가가지고 모든 금을 황금사과로 만들어서 집에 가져와서 아내와 함께 계속 굴렀대요. 굴러도 굴러도, 이렇게 굴러 봐도, 저렇게 굴러 봐도 웃음도 안 나오고. (일동 웃음) 행복한 표정도 안 나오고, 아무 변화가 없는 거예요. 화가 난 부자 농부는 다시 이제 그 이웃집에 갔겠죠. 그러다가 문을 두드리면서,

“너 왜 나한테 거짓말 했냐? 나한테 빌려준 돈을 빨리 갚아라!”

그러다가

“나 황금사과 만들어서 집에 와서 데굴데굴 굴러 봐도, 아무것도 없잖아!”

그러다가 이제 그 농부가 하는 말은

“나는 이 세상에 가진 게 아무것도 없는 사람이야. 너도 생각해 봐. 나 하루하루가 힘든데, 내 집에 황금사과가 있겠어? 내 집에 황금 두 개 사과가 내 아들이다. 그래서 그 사과, 그 아들은 나한테 금이다. 황금이다. 너는 금을 가지고 있지만, 나는 그 두 아들 때문에 얘네들이 집안에 항상 놀고 이러니까, 나는 그 모습을 보고 행복하고, 하루하루가 힘이 나고, 이렇게 살아간다.”

하니까 농부가 뚝 앉으면서,

‘아, 이 세상의 모든 것, 재산을 가져도 행복하는 거 아니구나.’

그 생각하면서, 이제 그 이후는 그 부자 농부가 착해져서 이웃집, 못사는 이웃집들한테는 금을 다 나눠주고. 그러다가 그 아들을 가지게 됐고, 이웃집들하고 함께 이제 사이좋게 살게 되었다고 하더라고요.

그런데 이제 우리 엄마가 그 얘기를 하는 이유가 이제 아시다시피 어느 나라든 잘 사는 사람들도 있고, 못사는 사람들도 있다 보니까,

“너 학교 가도, 어디 가도 나는 못사는구나, ‘나 잘 사는구나’ 해서 이렇게 차별하지 말고. 이 세상에 이거는 중요하지 않아. 엄마는 엄마 아빠한테 제일 중요한 거 너희들이다. 자녀가 이 세상의 금이다.”

너희들은 금이라고 그거를 알려주고 싶으셨나 봐요. 그 얘기를 저희가 들으다 보니까. 그래서 그 얘기를 들으면서 저희가 항상 이제 우리보다 잘사는 친구들을 보면, 부러워하면서 엄마 얘기를 듣고

‘아, 나는 엄마가 있다!’

혹시나 또 자신감을 가지면서 또 공부하고, 또 이렇게 살아온 것 같아요.

물고기 방생한 어부와 욕심 많은 아내 [1]

● **구연정보**

조사일시 : 2016. 11. 19(금) 오후
조사장소 : 서울시 중구 을지로 러시아거리
제 보 자 : 옵샨코바야나 [우즈베키스탄, 여, 1980년생, 노동이주 10년차]
조 사 자 : 조홍윤, 황승업, 김자혜

● **구연상황**

제보자가 〈둥근 빵 칼라복과 꾀쟁이 여우〉 구연을 마친 뒤 조사자들이 제보자의 자연스럽고 생동감 있는 이야기 구연 능력에 놀라움을 나타냈다. 이에 제보자는 우즈베키스탄 유치원에서 일한 경험이 있고 한국에서도 가끔 복지원 아이들에게 이야기를 들려주었다고 했다. 그에 고무된 조사자가 다른 이야기를 부탁하자, 잠시 고민하던 제보자는 이 이야기 구연을 시작했다.

● **줄거리**

옛날 한 할아버지가 금색 물고기를 잡았는데, 물고기가 자기를 풀어주면 소원 세 가지를 들어주겠다고 했다. 그러자 할아버지는 물고기를 놓아주고 집으로 돌아왔다. 빈손으로 돌아온 할아버지를 보고 할머니가 잔소리를 하자 할아버지는 소원을 빌어 음식을 만들어 냈다. 이를 본 할머니는 할아버지에게 부자가 되어 성에서 살고 싶다고 했고, 할아버지는 다시 소원을 빌었다. 큰 부자가 된 할머니는 할아버지에게 이제는 왕이 되고 싶다고 했다. 할아버지는 이를 다시 소원으로 빌었고, 할머니는 왕이 되었다. 얼마 뒤 할머니는 이제 하느님이 되고 싶다고 하자 할아버지는 하느님은 한 명밖에 없다고 했다. 할머니는 예전의 가난한 상태로 되돌아가버렸다.

할아버지가 저기 낚시로 나갔어, 바다 쪽으로. [조사자 1: 낚시?] 낚시. 낚시를 나갔어요. 이렇게 며칠, 며칠 동안 낚시하다가 생선, 생

손? [조사자 1: 생선.] 물고기 못 잡았어요. 그다음에 집에 먹을 것도 없어가지고 할머니 계속 잔소리하고, 할머니도 아니, 할아버지가 또 바다 쪽으로 나갔어요. 그다음에 하늘 보면서 소원했어요.

"하느님, 저기 나한테 오늘 저기 물고기 줘라."

그다음에 이렇게 뭐지? (허공에 양손으로 사각형을 그리며) 이거 있잖아요, 물고기 잡는 거. [조사자 2: 낚싯대? 그물?] 아니, 저기 큰 거. [조사자 2: 그물?] 그물? 응, 그물 했다가 그다음에 이렇게 해가지고 물고기 한 마리만 잡는 거예요. [조사자 1: 그물에 한 마리 있었어요?] 네. 저기 금색으로. 그다음에 이렇게 할아버지가 이렇게 해가지고 물고기 사람 소리로 말하는 거예요.

"할아버지 나를 먹지 마라. 소원 세 가지 나한테 말해줘. 내가 다 해줄게. 그냥 다시 물로, 저기 바다 쪽으로 보내라."

할아버지 이렇게 잡으면서,

"어, 너 먹을 수도 없고."

스몰사이즈라서,

"할머니 잔소리해도 그냥 살아라."

하고 다시 바다 쪽으로 소원 안하고 그냥, 그냥 가라. [조사자 1: 소원도 말 안하고?] 응. 다시 버렸어요, 바다 쪽으로. 그다음에 집에 갔다가 할머니 이렇게 손 해가지고(손을 보면서) 물어보는 거야, 할아버지한테.

"너 오늘 뭐 잡았어?"

"안 잡았어요."

또 잔소리 했어요. 할머니가 먹을 게 집에 없어 가지고 어쩌고 머쩌고. 그다음에 할아버지 말하는 거예요.

"잔소리 하지 마라. 뭐 하고 싶어? 다 해줄게."

그다음에 할머니 말해요.

"나 우리 상에서 밥, 밥 먹고 싶어."

그래 할아버지

"알았어, 밥 해줄게."

뭐 그런 식으로 얘기하다가, 그다음에 밥이 여기 있어가지고 여

러 가지 반찬 다 이렇게 저기 물고기가 이렇게 했는 거예요. 그다음에 할머니 깜짝 놀랐어요. 그다음에

"아, 너 할아버지. 너 이게 어디서 났어?"

할아버지도 이렇게

"몰라, 나도 몰라. 어디서 이렇게 났는지."

그다음에 할머니 할아버지한테 보면서

"나 부자하고 싶어요. 나 여기 이 집에서 살고 싶지 않아요. 나한테 캐스틀castle 해라."

[조사자 2: 큰 성?] 네. 그다음에

"알았어."

할아버지 얘기하다가 또 집 바뀌는 거예요. 그다음에 할머니 또 할아버지한테 이상하게 보면서 할아버지도 뭐 그런, 뭐 그랬는지 몰라요. 어떻게 이거 다 생겼는지. 그다음에 할머니 그래요.

"나 이제 보통 여자 하고 싶지 않아요. 나 왕 하고 싶어요."

그다음에 할아버지

"알았어."

하다가 할머니가 왕으로 됐어요. 그다음에 할머니 이제 이거 다 소원이 다 되니까 또 하고 싶었는데. 이제 할아버지한테 또 말하니까,

"할아버지, 할아버지 이리와. 나 이제 왕 하고 싶지 않아요. 나 하나님 하고 싶어. 하나님으로 하고 싶어."

할아버지 말했어요.

"하나님 하나밖에 없어."

(식당 손님과의 대화로 구연이 잠시 중단됨.)

그다음에 할머니가 나 하나님 하고 싶대요. 할아버지 말했어.

"하나님 하나밖에 없어요."

보통 여자 있었다가, 보통 여자로 돼. 그렇게 말해가지고 할머니, 아 다시 집이 없어가지고 다시, 저기 음식이 없어가지고 다시 왕으로 되니까 다시 보통 여자로 됐어요, 할머니가. 끝났어요. (웃음)

[조사자 1: 아, 욕심 부렸다가 다 없어졌어요?] 네. 사람한테 얼마나 주면, 계속 부족하다고 얘기하면은, 얘기하면은 안된다고. 오늘 밥이

있으면,

"고맙습니다."

왜 뭐 그런 식으로 말해야 되니까. 그래서 또, 또, 또 하고 싶으면 하면 안 되니까.

물고기 방생한 어부와 욕심 많은 아내 [2]

● **구연정보**

조사일시 : 2017. 10. 21(토) 오후

조사장소 : 경기도 안산시 단원구 원곡동 세계문화체험관

제 보 자 : 허율리나 [우즈베키스탄(고려인), 여, 1990년생, 이주노동 5년차]

조 사 자 : 김정은, 황승업

● **구연상황**

제보자가 〈나브로스 날에 수말락을 먹게 된 이유〉를 구술한 후, 옛날에 할아버지께서 고려인들에게 러시아어를 가르치던 선생님이셨던 할아버지가 어릴 때 들려준 러시아 이야기라면서 이 이야기를 구술했다. 일본의 쿠미코 제보자와 중국 출신 박영숙 제보자가 청자로 참여했다.

● **줄거리**

옛날에 가난한 노부부가 살았는데, 할머니가 할아버지에게 바다에 가서 뭐라도 잡아오라고 했다. 할아버지가 낚시로 황금물고기를 잡았는데, 물고기가 자기를 살려주면 소원을 들어주겠다고 했다. 할아버지는 바라는 게 없다며 물고기를 놓아주고 집으로 갔다. 그러자 할머니가 물고기에게 가서 소원을 말하라고 했다. 그래서 할아버지는 어쩔 수 없이 물고기에게 가서 할머니가 시킨 대로 집을 달라고 하고, 귀족이 되게 해달라고 했다. 물고기는 그 소원들을 들어주었지만, 다시 왕이 되어 물고기를 신하로 부릴 수 있게 해달라고 하자 화가 나서 사라졌다. 할아버지가 집으로 돌아와 보니 모든 것이 원래 모습으로 돌아가 있고 집 앞에 깨진 그릇이 있었다. 욕심이 많으면 결국 깨진 그릇만 남는다는 말이 전해진다.

옛날에는 할아버지 할머니랑 살았는데, 엄청 가난했어요. 그리고 먹을 것도 없고, 집도 엄청 작고. 그리고 할머니가 할아버지한테

가서,

"바다에 가서 뭐라도 잡아요."

이렇게. [조사자: 음, 바다에 가서.] 네, 바다에서 가서. 할아버지 가서 잡, 뭐 낚시 하다가, 하다가. (웃음) 낚시 하다가, 하다가, 그 황금물고기를 잡게 됐었어요. [조사자: 잡게 됐어요? 응.] 네, 그 황금물고기가 일반 뭐 그냥 물고기 아니었어. 말도 할 수 있었어요. 네, 그리고 그 물고기가 말을 했어요.

"나를 다시 바다로 놔주면, 소원을 이루게 해줄게요."

이렇게 했어요. 그런데 할아버지가 착해서,

"아니요. 나 아무것도 필요 없어요."

그러니 이렇게, 뭐 물고기 이리 말을 하니까,

"그냥 놔줄게요."

이렇게 바다에 놔줬는데. 집에 돌아왔어요. 돌아와서 그 할머니한테 다 얘기하고 했는데. 그 할머니가 좀 욕심이 있었어요. (웃음) 네, [조사자: 그냥 거절을 못 하고.] (웃으며) 네. 어, 한국에도 있어요? [청자: 중국에도 있었어요.] 아 그래요? [조사자: 조금 이따가 얘기해주세요.] 아, 있어요? [청자: 네, 네. 먼저 얘기해요. 먼저.] 아 네.

"다시 가서 집이라도 달라고 해요."

할아버지 어쩔 수 없이 가서,

"집을 달, 해 달라."

고 했었어요. 그 물고기가 알았대요.

"가서, 집에 가면, 집이 생길 거예요. 괜찮은 집이."

왔는데, 집이 생겼어요. [조사자: 와, 네.] 네, 괜찮은 집이. 그리고 할머니는,

"왜 이렇게 집만 달라고 했었어요? 조금 뭔가 더 달라고 해요."

이렇게 하는 거야, 그 할머니. 할아버지는

"뭐라고?"

그 왜냐면 옛날에 그거 있었잖아요. 뭐 층이 있었잖아요. 그렇게 왕같이 가는 거. 왕까진 아니고, 높은 사람까지 가는. 그래 좀 높은, 뭐

"잘 살게 해 달라고 해요. 네, 좀 높게 층을 올려 달라."고.

가서, 그 물고기한테

"우리 할머니가 이렇게, 이렇게 하는 건데, 이렇게 혹시 할 수 있냐?"고.

그래 물고기가

"알았어요. 집에 가면, 그렇게 된다."고.

집에 왔는데, 조금 더 올라 왔어요. 그리고 [조사자: 네. 계급을, 무슨 계급을 해달라고 그랬을까요? 귀족이 되어 달라고?] 아 그거는 러시아 말로 했는데, 그런데 한국말로 뭔지 몰라요, 그게. [조사자: 러시아말로는 뭐예요, 그게?] '바야린бояре(귀족)' [조사자: "바야린이 되게 해주세요." 이런 거예요?] 네, 네. 네, 좀 높게. [조사자: 좀 더 높은 계급.] 네.

그리고 또 한 번 똑같이 가서, 할머니 욕심 많아서. 이렇게 또 한 층 올라, [조사자: 높게 해달라고, 계급을 자꾸.] 스탈바바야, 그건 좀 긴데. '스탈바바야 크리스티안까.' [조사자: '스타바'] 오, 러시아 말이야? [조사자: 아니요, 아니요. '스타바바야'] 아, '스탈바바야 크리스티안까' (일동 웃음) [조사자: 쓰기 너무 어려워요. 어우, 받아쓰기 내가 이렇게 못할 줄은.] (웃으며) '크리스티안까' [조사자: '크리스티안까'. 좋아요.] 네, 네. 좀 더 올려 달라고. 그리고 뭐 그건 거의 다 높은 수준이에요. 이제는 뭐가 필요하지?

할아버지가 집에 왔는데, 할머니가 또 욕심이 스는 거야. 그 할머니가 말하는 거야. 제가 뭐, 옛날에는 그거 차 없으니까 그거 뭐지? 말 [조사자: 마차?] 말, 마차? [조사자: 말, 마차, 네.] 마차? 마차를 타고 이렇게 산책하다가 바다에 갔는데, 그리고 바다의 범, 바, 바다 안으로 봤는데, 바다 안에서는 내가 왕이에요, 왕비요. 그리고 그에 물고기가 나한테, 뭐지? 어떻게 말해야 되나? [조사자: 왕, 왕이 되게.] 내가 왕이니까, 그 물고기한테 다, 밑에 되는 거야, 그 물고기가. [조사자: 부하, 부하. 내 신하가 되어줘, 그런 거예요?] 네, 부하 되는 거예요. 네 그런 모습을 바다 속에 봤었어요, 그 할머니가. 그래서 가서 그 할머니,

"그 물고기한테 이렇게 해달라고 해요, 이렇게."

소리 지르면서 했어요, 그 할아버지한테.

그 할아버지가 바다에 갔는데, 그리고 너무 말을 하기가 싫었었어요, 너무. 그 물고기한테, 물고기 이렇게 많이 했는데, 너무 미안해서. 그러니까 울면서 이렇게

"우리 할머니가 이렇게 이렇게 자꾸."

그리고 물고기가 어떻게 뭐가 되는 거예요? 하, 하비? 할머니한테 누가 되는 거야, 물고기? [청자: 할머니한테.] [조사자: 신하, 신하.] 신하? [조사자: 신하가 되게 해달라고.] 신하. 아, 신하 해달라고. 부하.

"부하하라고 이런 거 원한대."

그래 그 물고기가 너무 화났, 화났어요. [조사자: 화나죠, 네. 내가 니 신하라니.] (웃으며) 맞아요. 화나고, 그냥 아무 대답 없게 그냥 사라져버렸어요. 갔어, 바다에 들어가고 갔었어, 아예. 갔었어요.

할아버지가 기다리다가, 기다리다가 대답을 없으니까, 그냥,

'아이, 집에 가야 되지.'

그리고 집에 돌아 왔는데, 그 큰 집이 없어졌어요. [조사자: 오, 없어졌구나.] 네, 없어지고. 그리고 그 할머니가 작은 집에서, 작은 집이 그대로 처음의 그 집에 [조사자: 이전처럼.] 네, 거기 앉아 있고, 그리고 앞에는 그 그릇이요. 그릇, 그릇은 그 뭐지? 깨지는 그릇이에요. [조사자: 네, 깨진 그릇이 있고.] 네, 그런 깨진 그릇이에요. 네, 그, 그렇게 끝나는 거예요.

네, 그래서 그 뜻은 (잠시 생각하며) 뭐죠?

'뭐가 많이 많이 욕심이 있으면, 결국은 깨지는 그릇밖에 안 남는 거야.' (웃음)

[조사자: 오, '욕심 많으면, 깨진 그릇밖에 안 남는다.' 이렇게 말하는구나.] 네, 네. 이렇게 할아버지가 말을 많이 했었어요, 이런.

커다란 순무

● **구연정보**

조사일시 : 2016. 11. 19(금) 오후
조사장소 : 서울시 중구 을지로 러시아거리
제 보 자 : 옵샤코바야나 [우즈베키스탄, 여, 1980년생, 노동이주 10년차]
조 사 자 : 조홍윤, 황승업, 김자혜

● **구연상황**

서울 중구 러시아거리에서 타 제보자와 조사 일정을 잡은 조사자들은 약속보다 미리 도착하여 식당을 운영하고 있는 이주민을 대상으로 현장 섭외를 시도했다. 우즈베키스탄 음식점에서 식사를 하면서 음식점을 운영하는 옵샤코바야나 씨에게 구술을 부탁했는데, 제보자는 잠시 시간이 있다며 흔쾌히 조사에 응했다. 조사자가 우즈베키스탄의 옛이야기 중에 기억나는 것이 없느냐 묻자, 제보자는 모국에서 유치원 교사로 일할 때 아이들에게 들려주었던 것이라며 이 이야기를 구술해 주었다.

● **줄거리**

한 할아버지가 밭에 심은 무를 뽑으려고 했는데 뽑히지 않았다. 아무리 힘을 써도 뽑히지 않자 할머니를 불렀고, 다시 손녀와 강아지와 고양이를 불러서 함께 했지만 무를 뽑지 못했다. 고양이가 쥐를 불러서 힘을 합치자 무가 뽑혔다.

옛날에 어떤 마을에서 할아버지, 할아버지가 무 심었어요. [조사자: 무를 심었어요?] 무, 무. 무 심었어요. 그다음에 무가 많이 커서 할아버지 밭에 나와서 무를 이렇게 [조사자: 뽑았어요?] 뽑고 싶었는데, 힘이 없어가지고 할머니를 불렀어요. 할머니가 할아버지를 (뒤에서 안아 붙드는 시늉을 하며) 이렇게, 이렇게 해가지고 같이 무를 뽑고 싶었는데 둘이도 못 했어요.

그다음에 할머니가 손녀 불렀어요. 손녀, 손녀 세 명으로 이렇게 안아가지고 이렇게 뽑고 싶었는데, 그래도 못 했어요. 못 뽑았어요. 손녀가 강아지, 개, (일동 웃음) 개 불렀어요. 개 이렇게, 강아지 이렇게 넷이 이렇게 해가지고 뽑아가지고 싶었는데 못 뽑았어요. 강아지가 고양이 불렀어요. (일동 웃음) 같이 이렇게 해가지고 또 못 했어요. 고양이가 쥐 불렀어요. 같이 이렇게 함께 해가지고 뽑았어요. (웃음) [조사자: 어, 그래가지고 뽑혔어요?] 네.

이거, 저기 뭔 뜻이냐면은 이렇게 함께, 같이 있으면은 또 힘이 세다. 이런 식으로.

도끼로 지은 밥

● 구연정보

조사일시 : 2018. 11. 23(금) 오전
조사장소 : 경기도 안산시 원곡동
제 보 자 : 허율리나 [우즈베키스탄, 여, 1990년생, 이주노동 6년차]
조 사 자 : 김정은, 강새미

● 구연상황

인도네시아의 수산티 제보자가 〈의붓자매 바왕 메라와 바왕 뿌띠〉의 이야기를 마친 뒤 허율리나 제보자가 준비해온 이야기라며 구연을 시작했다. 수산티 제보자와 일본의 쿠미코 제보자, 중국의 박영숙 제보자가 청자로 참여했다.

● 줄거리

퇴역한 군인이 고향으로 돌아가는 도중에 배가 고파서 한 집에 들렀다. 그 집에 사는 할머니는 욕심이 많아서 먹을 것이 없다고 했다. 군인이 할머니에게 도끼로 맛있는 밥을 지을 수 있다고 하자 할머니가 어떻게 만드느냐며 해보라고 했다. 군인은 큰 화덕에 도끼를 넣은 뒤 물을 붓고서 끓였다. 할머니가 언제 밥이 되냐고 묻자 군인은 밥이 되려면 소금과 귀리, 버터가 필요하다고 했다. 할머니가 군인이 말하는 재료들을 가져다주자 밥이 지어졌다. 할머니는 군인과 함께 밥을 먹으면서 도끼는 언제 먹냐고 했다. 그러자 군인은 도끼는 집에 가서 먹을 거라고 했다.

러시아에서 죽처럼 밥을 많이 끓여 먹어요. 옛날 분들은 그렇게 먹었어요. 지금 많이 안 먹지만. 옛날에 한 군인이 군인 끝나고 집으로 가는 길이었어요. 어느 시골에서 가다가 엄청 배고픈 거예요. 근데 아무 사람 모르는데,

'아무데나 들어가 볼까?'

이렇게 하면서 어떤 집에 들어가는 거예요. 들어가는데 거기 할머니 혼자 살아요.

"할머니 제가 군인인데 집에 가는 건데 혹시 너무 배고파서 밥을 줄 수 없냐?"고.

"뭐라도 빵이라도 줄 수 없냐?"고.

근데 그 할머니가 너무 욕심 많아서 다 많이 있는데, 이것저것 많이 있는데 없는 척 하면서,

"나도 아무것도 없어. 나도 아침부터 밥을 안 먹었어."

이렇게 하는 거예요. 그래서 군인이 집을 보다가 벤치 밑에 도끼를 봤어요.

"그럼 이걸로 밥을 만들어 볼까?"

이렇게 하는 거예요. 할머니가,

"어떻게 도끼로 밥을 만들어?"

"그럼 할머니, 그럼 큰 냄비 주시면 제가 해볼게."

이렇게 하면서 냄비 받고, 거기 도끼 넣고 물 부었어요. 물 붓고 러시아에서 화덕 있어요. 화덕에 넣고 불을 기다리는 거예요. 계속 젓고 물맛 보고하는 거예요. 할머니가 계속,

"어떻게 밥을 만들어? 어떻게 만들어?"

계속 물어보는 거예요.

"할머니 여기 소금을 조금 있으면 좋은데 혹시 소금 없을까요?"

"있어, 있어. 조금 있어."

소금 갖고 오고 소금 뿌렸어요. 또 이렇게 젓다가 맛보고 하면서,

"언제 다 완성되는 거야?"

할머니 계속 물어보는 거예요.

"할머니 혹시 쌀 아니고, 보리 같은 거, 귀리 조금 있으면 더 맛있을 거예요, 밥이."

할머니가,

"어, 있어, 있어."

그것도 꺼내가지고,

"쓸 만큼 써."

하면서 그거 보리도 넣고, 다 넣고 이런 거예요. 쌀 같은 거 넣고 밥을 만들고 있고요. 쓱 보고 보고 하니까 할머니가,

"언제 완성되는 거야?"

"할머니 이제는 혹시 버터가 있으면 완전 맛있는 밥이 되는 거예요."

"버터도 있어!"

버터도 꺼내는 거예요. 버터도 꺼내서 넣고,

"할머니 이제 다 완성됐어요. 우리 밥 먹자."

이렇게 하면서 밥을 놓고 같이 밥 먹었어요.

"근데 우리 도끼는 언제 먹어요?"

이렇게 할머니가 물어보는 거예요. 그 군인이,

"도끼는 아직은 안 익었어요. 할머니 내가 이 도끼를 가져가서 집에서 먹을 거예요."

할머니가 너무 신기해서,

"알았어, 알았어."

도끼 챙겨주고 줬어요. 그리고 군인이 밥도 먹고 도끼도 얻었어요.

남자와 미련한 곰

● **구연정보**

조사일시 : 2018. 11. 23(금) 오전
조사장소 : 경기도 안산시 원곡동
제 보 자 : 허율리나 [우즈베키스탄, 여, 1990년생, 이주노동 6년차]
조 사 자 : 김정은, 강새미

● **구연상황**

제보자가 〈여우와 학〉 이야기를 마친 뒤 곧바로 이어서 구연했다. 일본의 쿠미코 제보자와 인도네시아의 수산티 제보자, 중국의 박영숙 제보자가 청자로 참여했다.

● **줄거리**

가난한 남자가 땅이 없어서 숲에서 농사를 짓고 사는데, 곰이 나타났다. 곰이 남자를 잡아먹으려고 하자 남자는 순무가 자라나면 나눠 가지자고 했다. 농사 지은 것을 반씩 나누기로 했는데, 땅 아래의 것은 남자가 갖고 땅 위의 것은 곰이 갖기로 했다. 순무를 남자에게 다 뺏긴 곰이 화를 내자 남자는 이번에는 곰이 땅 아래의 것을 가지라고 했다. 남자는 호밀을 심었고 곰이 차지한 것은 뿌리뿐이었다.

어느 시골에 남자가 살았는데 땅이 없어서 옆에 숲 있었어요. 숲에 가서 농사했어요. 몰래하는 거예요. 어느 날 가서 농사하려고 하는데 숲에서 갑자기 곰이 나타난 거예요.

"나 지금 잡아먹을 거야, 너를. 왜 여기 와서 농사하는 거예요?"

남자는 똑똑해서 말했어요.

"나를 잡아먹지 마. 나 여기 심은 거는 순무를 심을 건데, 순무 밑에 뿌리는 내가 가져가고 위에는 네가 가져가."

이렇게 하는 거예요. 근데 곰이 몰랐어, 뭐가 뭔지.

"알았어. 나눠서 우리 가져가자."

[조사자: 위가 좋을 것 같으니까.] 네.

'밑에는 뿌리니까 아무 소용없다.'

고 생각하고 이렇게 했어요.

기다리고 기다렸어요. 순무가 자라서 남자가 뽑고 나눴어요. 가서 순무를 먹고, 팔고 돈을 벌었어요. 그 사실을 곰이 알고 또 많이 화나는 거예요.

"왜 이렇게 나를 속였어? 이거는 못 먹잖아요. 사용 없잖아."

이거 위에 풀이 많이 있잖아요. 그렇게 하면서,

"잡아먹을 거다!"

이렇게 하면서, 남자가,

"잡아먹지 마. 이번에 다른 거는 내가 심을 때, 반대로 네가 밑에 뿌리 가져가서 나는 위에 가져갈 거야."

근데 두 번째는 호밀을 심었어요. 밀을 심었는데 그래서 곰이 또 몰랐는 거예요.

"알았다."고

"기다린다."고.

그리고 호밀 심고 자랐어요. 다시 이렇게 뿌리는 반대로 곰을 주고 위에는 가져갔어요. 가져가서 팔고 돈 벌고 했는데, 결국은 곰이 그 뿌리 가지고 그냥 그렇게 남는 거예요. 그리고 그때부터 곰이랑 남자랑 전쟁 되는 거예요.

쫓겨난 개를 도와준 늑대

● **구연정보**

조사일시 : 2017. 02. 21(화) 오후
조사장소 : 서울시 중구 을지로 러시아거리
제 보 자 : 옵샨코바야나 [우즈베키스탄, 여, 1980년생, 이주노동 10년차]
조 사 자 : 조홍윤, 황승업, 김자혜

● **구연상황**

제보자는 〈미운 거위 새끼〉를 구연한 뒤 구 소련 지역의 우화 문화에 대하여 설명했다. 이후 우크라이나의 우화라며 본 이야기를 구연했다. 이 이야기 역시 제보자가 어린 시절 읽은 우화시집에 수록된 내용이라고 했다.

● **줄거리**

옛날 우크라이나의 한 마을에 주인과 함께 사는 강아지가 있었다. 강아지는 주인을 잘 따르고 주인을 지키기 위해 애를 썼다. 그런데 주인이 결혼을 해서 아이를 낳고, 또 그 아이가 결혼하면서 주인의 애정이 식는 것을 느꼈다. 강아지는 질투가 나도 참았는데, 어느 날 주인은 늙어 버린 개를 집에서 쫓아냈다. 개는 산으로 들어가 늑대를 만났는데, 늑대는 주인에게 버림받은 개를 불쌍하게 여겨 함께 지냈다. 어느 날 둘이 앉아 마을 쪽을 바라보았는데 개의 옛집에서 파티가 한창이었다. 개는 늑대를 데리고 몰래 집에 들어가 테이블 아래 앉아 음식을 가로채 늑대에게 주었다. 음식을 먹고 기분이 좋아진 늑대가 울음소리를 내자 사람들은 늑대가 나타났다며 도망쳤다. 이때 늑대가 개에게 자신을 쫓아내는 시늉을 하라고 했다. 개가 늑대의 말대로 하자 주인은 개가 늑대를 쫓아냈다며 다시 받아들였다.

우크라이나 마을에서. 우크라이나, 우크라이나 있잖아요? 이거 우크라이나의 우화예요.

우크라이나 마을에서 주인? 주인 아, 강가지. [조사자 1: 주인과 강아지?] 네. 주인과 강아지 있었어요. 강아지가 주인한테 너무 잘 해줬어요. 뭐, 모르는 사람들 너무 집 앞에 오면, 강아지가 소리 나잖아요. 뭐 짖고, 뭐 계속 주인, 주인한테 따라가지고, 따라가서 뭐 계속 주인 지켰어요, 강아지가.

그다음에 주인이 음, 결혼했어요. 와이프랑 이제 있어야 되니까, 강아지 조금 질투가 났어요. 조금 질투가 났는데, 그래도 나,

'내 주인이니까 내가 뭐 그냥 받아야 된다.'고,

'마음으로 받아야 된다.'고.

그다음에 강아지가 와이프도 지켰어요. 그다음에 애기 낳았어요. 그, 그 집에서 애기가 낳는데, 강아지도 또 질투 났어요.

'나 이제 필요 없다. 이제 애기 있으니까 나한테 이제 신경 쓸 거 없어요.'

또 질투가 났어요. 그다음에 강아지가

'아, 나 강아지니까, 계속 그 사람들하고 계속 있어야 되니까 참아야 된다.'고,

'지켜야 된다.'고,

'애기도 지켜야 된다.'고.

그다음에 애기 천천히 컸으니까, 이제 아들 결혼, 결혼해야 된, 해야 돼. 결혼해야 돼. 그다음에 강아지 또 질투 났어요.

'나 이제 필요 없다. 또 결혼하면서 와이프한테만 신경 쓰는 거.'

(웃음) 그다음에 강아지 늙었잖아요. 늙어가지고 주인이 이제, 할아버지 주인이 집에서 나가라고 그랬어요. 강아지한테

"너 이제 집도 지킬 수 없어. 뭐 우리도 지킬 수 없어. 너 이제 늙었어. 이제 가라. 뭐 산 쪽으로 가라."

그다음에 강아지 울어면서, 울어면서 산 쪽으로 갔어요. 거기서 늑대? 늑대 만났어요. 늑대, 늑대가 물어봤어요, 강아지한테.

"너 왜 그러냐?"

강아지 다 자기 라이프? [조사자 2: 이야기, 인생 이야기?] 응, 인생 이야기 다 늑대한테 말했어요. 그다음에 늑대가 말했어.

"나 좋겠다. 나 주인이 없고, 나 혼자 그냥 산에서 뭐 살고."

지키, 지키는, 지키는 사, 뭐지? [조사자 1: 지킬 사람?] 지킨 사, 지킨 [조사자 2: 주인도 없고?]

"주인도 없고, 지키는 것도 없고. 뭐 내가 그냥 자기한테 주인."

뭐 늑대가 강아지한테 말했어요.

"너 바보. 뭐 몇 년 동안 이렇게 집 지키면서, 주인 지키면서 뭐 그렇게 살았어. 너 바보야."

뭐 그런 식으로 늑대가 말했어요, 강아지한테.

그다음에 같이 이렇게 앉아서 마을에서, 마을에서 음악, 음악 그 소리가 났어요. 강아지 마을 쪽으로 이렇게 보면서 마음으로 그쪽으로 가고 싶대. 계속 거기 있었다가. 그다음에 늑대한테 말했어.

"우리 잠깐 마을로 가보자. 저기 재미있나 봐요, 음악도 소리 나고. 가보자!"

그 늑대랑 같이 가봤어요. 가서 어, 그 집에서, 계속 강아지 살아있는(살았던) 집에서 어떤 음, 생일날? 뭐 그런 식으로 어떤 파티가 있었어요. 파티가 있었어요. 늑대, 강아지랑 테이블 밑으로 앉아가지고, 저기 사람들이 이렇게 술 먹잖아요? 밥 먹잖아요? 술 먹고 신경 안 썼어. 밑에 늑대, 강아지랑 같이 있는 거. 강아지 이렇게 늑대랑 같이 밑에 있었다가, 이렇게 손으로 테이블에서 (손으로 테이블 위에 있는 물건을 가로채는 시늉을 하며) 이렇게 딱! (일동 웃음) 고기, 이렇게 술, 뭐 이렇게, 이렇게 빼 놓고 늑대한테 계속 줬어요. 드렸어요. 늑대가 많이 먹으면서, 술도 먹고.

그다음에 배가 이렇게 불르면서 앉아서, 자기 음, 자기 뭐지? 늑대 (하늘을 보고 우는 시늉을 하며) 이렇게 '우' 하잖아요? [조사자 1: 하울링?] [조사자 2: 네, 네.] 그런 식으로 앉아서 배불러가지고 '우' 소리 해. (웃음) [조사자 1: 기분 좋아서, 기분이 좋아가지고?] 어. '우' 하면서 그다음에 사, 사람들이 앉았잖아요. 사람들이 놀라가지고 음악 껐어요. 음악이 껐는데, 소리가, 늑대 소리가 어디서 났는지 이렇게 들었, 이렇게 듣고 싶었는데, 늑대가 다시 '우' 하면서, 사람들이 이렇게 보면서,

"아, 늑대야!"

도망가는 거예요, 사람들이.

그다음에 강아지가 이렇게 눌르면서, 여기 앞에 주인도 있어가지고, 강아지 눌르면서 그다음에 늑대 말했어요.

"나를 나가라고(쫓아내라고), 뭐 '아바바바' 하라고, 나한테."

강아지가 어, 늑대한테 (강아지가 짓는 시늉을 하며) 이렇게

"아후! 아후!"

하면서 이렇게 집에서 나가게 했어요. 그다음에 주인이 강아지를 다시 오라고 했었어요. [조사자 1: '넌 늑대를, 늑대한테서 우리를 지켜줬구나!' 하고?] 응, 응. 그런 식으로,

"다시 우리 집으로 와라."

막 그런 식으로.

[조사자 1: 늑대가 착한 친구네요?] (웃음)

여우와 학

● **구연정보**

조사일시 : 2018. 11. 23(금) 오전
조사장소 : 경기도 안산시 원곡동
제 보 자 : 허율리나 [우즈베키스탄, 여, 1990년생, 이주노동 6년차]
조 사 자 : 김정은, 강새미

● **구연상황**

일본의 쿠미코 제보자가 〈주먹밥 할아버지와 쥐〉의 이야기를 마친 뒤, 조사자가 허율리나 제보자에게 더 준비해 온 이야기가 없는지 묻자 짧은 이야기라며 구연을 시작했다. 쿠미코 제보자와 인도네시아의 수산티 제보자, 중국의 박영숙 제보자가 청자로 참여했다. 구연 도중 청자들이 자기 나라에도 비슷한 이야기가 있다며 놀라기도 했다.

● **줄거리**

여우와 학이 친구가 된 뒤 여우가 학을 초대했는데 여우가 납작한 접시에 밥을 주는 바람에 학이 하나도 먹지를 못했다. 다음 날 학이 여우를 초대해 국을 주겠다며 긴 항아리에 음식을 담아 주었다. 여우는 음식을 하나도 먹지 못했다.

옛날 옛날에 학이랑 여우가 살았어요. 근데 언제,

"우리 이제 오늘부터 친하게 지내자. 우리 친구 하자."

하면서 친하게 지내면서 매일매일 서로 놀러 가고. 근데 어느 날 여우가 초대했어요, 학을.

"우리 집에 놀러 와요. 내가 밥을 대접해줄게."

이렇게 하면서 했어요. 그리고 접시에다가 밥을 발랐어요.

(중간에 잠시 이야기가 중단되었다.)

결국은 학이 뾰족하니까 밥을 못 먹고 여우가 혼자서 다 핥아먹었어요.

다음 날 학이,

“그럼 우리 집으로 놀러 와.”

러시아에 전통 국이 있어요.

“내가 국을 만들어 줄게요. 이거 먹자 우리.”

왔는데 항아리 같은 거 넣었어요. 여우가 못 먹고 학이 혼자서 다 먹었어요. 그리고 여우가 똑똑하니까,

‘내가 그렇게 하면 배부르게 많이 먹을 수 있다.’

고 생각했는데 결국은 아예 못 먹었어요.

기러기와 여우

● 구연정보

조사일시 : 2017. 02. 21(화) 오후
조사장소 : 서울시 중구 을지로 러시아거리
제 보 자 : 옵샨코바야나 [우즈베키스탄, 여, 1980년생, 이주노동 10년차]
조 사 자 : 조홍윤, 황승업, 김자혜

● 구연상황

조사자는 제보자가 운영하는 식당에서 식사를 하며 제보자를 기다렸다. 손님이 끊이지 않아 좀처럼 시간을 내지 못하던 제보자는 한참 후에야 조사에 응할 수 있었다. 제보자는 자리에 앉자마자 이 이야기를 구술했다.

● 줄거리

옛날 기러기가 여우네 집을 방문하여 식사를 하게 되었다. 여우가 넓적한 접시에 음식을 주자 기러기는 코가 길어 아무것도 먹지 못했다. 기러기는 여우를 초청해서 길쭉한 병에 음식을 담아 주었고, 여우는 아무것도 먹지 못했다.

기중기(기러기)가 여우한테 저기 집으로, 집으로 보러 왔어요. 여우가 음,

"친구야 우리 밥 먹자."

이랬는데요, 기중기가 (자신의 코를 가리키며) 이거 크잖아요. [조사자: 네, 코가 길어요?] 네. 코가 길어서 여우가 접시에다가, (테이블 위의 접시를 가리키며) 이런 접시에다가 그냥 밥 줬어요. [조사자: 아, 기중기가 아니라, 기러긴가 보다.] (웃음) 기러기? [조사자: 새.] 새, 새. 기러기, 기러기. 기러기한테 이런 접시에다가 줬는데, 기러기가 밥 못 드셨어요. 못 했어요. (자신의 코를 가리키며) 이거 길기 때문

에 못 드셨어요.

그다음에 며칠 지나갔다가 여우가 기러기, 기러기한테 집으로 갔어요. 기러기가 또 여우한테 말했어요.

"우리 밥 먹자."고.

그다음에 기러기가 이런 통에다가 밥 줬어요. (빈 음료수 병을 가리키며) 이런 넓은 통에다가 밥 줬어요. [조사자: 아, 이렇게 긴 통에다가.] 네, 긴, 저기 병처럼 생긴 통에다가 밥 줬어요. 여우도 밥 못 드셨어요.

그래서 그런 뜻도 있어요. 아,

'친구랑 잘 지내고 싶으면, 친구한테 편하게 해야 된다.'고.

[조사자: 친구 생각을 많이 해 가지고 대해야 된다고?] 네. 이제 여우도 친구한테 밥 못 먹었어요. 이제 거꾸로도 자기, 자기가 그쪽한테 집으로 갔다가 밥 못 먹었어요. 서로 안 맞으니까, 그래서 친구처럼 지낼 수가 없어요.

미운 거위 새끼

● 구연정보

조사일시 : 2017. 02. 21(화) 오후
조사장소 : 서울시 중구 을지로 러시아거리
제 보 자 : 옵샨코바야나 [우즈베키스탄, 여, 1980년생, 이주노동 10년차]
조 사 자 : 조홍윤, 황승업, 김자혜

● 구연상황

제보자는 〈기러기와 여우〉에 이어 이 이야기를 구술했다. 널리 알려진 〈미운 오리 새끼〉와 내용이 유사하나, 미운 거위 새끼가 거위의 진짜 가족이라는 점이 다르다. 제보자는 어린 시절 유명한 우화시집에서 이 이야기를 읽고 감동받아 아직까지 기억하고 있다고 했다.

● 줄거리

옛날에 엄마 거위가 새끼 열 마리를 낳았는데, 그중 한 마리가 너무 못생겨서 엄마는 물론이고 형제 거위들도 미운 새끼 거위를 싫어했다. 결국 미운 거위 새끼는 집을 떠나기로 결심하고 산에 들어갔는데, 산속의 여러 동물들이 그를 보살피면서 지금도 예쁘고 자라면 더 예뻐질 것이라 말했다. 예쁘게 자라난 미운 거위 새끼가 가족들에게로 돌아가자 아무도 알아보지 못했다. 그는 자신이 미운 거위 새끼임을 밝히며 예쁘게 생기지 않았다고 자신을 미워한 가족들을 책망했다.

이제 거위 얘기 할게요. [조사자 1: 거위 얘기요?] 거위.

음 한 아 저기 한 마을에서 거위 그룹? 그룹 살았어요. 하나 여, 여 거위? 어떻게 말해요, 여자가? 여 거위? [조사자 1: 아, 암컷?] 암컷, 암컷? [조사자 2: 네, 네.] 암컷, 저기 애들 몇 개 낳았어요. 어, 열 개? 열 마리? 열 마리? [조사자 1: 네, 열 마리 낳았어요.] 그중에서 한 마리 안 예뻤어요. 안 예뻤어요. 다 아홉, 아홉 마리 다 예뻤는데 하, 하나 애 안 예뻤어요.

그다음에 천천히 애들 컸어요. 천천히 컸는데 하, 한 마리 안 예쁘기 때문에 엄마가 다, 엄마도 미웠어요. [조사자 2: 형제들(도)?] 형, 네. 다 미워(했)어요. 그래서 안 예쁜 애기(거위)가 생각하면서 마을에서 나갔어요.

'내가 안 예뻐서 같이 있을 수가 없어요.'

마을에서 나갔는데, 산 쪽으로 갔어요. 산, 산 쪽으로. 산 쪽으로 갔는데, 거기다가 다른 새, 다른 동물 만났어요. 그다음에 그 동물들 거위한테, 거위? 거위한테 도와줬어요.

"너 그런 생각하지 마. 너 너무 예뻐. 너 나중에 크면 더 많이 예뻐질 거야."

뭐 그런 식으로 계속 얘기했는데. 그다음에 어떤 뭐 여우가 조금 밥 주고, 곰도 조금 밥 주고 계속 도와줬어요, 서로. 애기잖아요, 거위가 애기잖아요. 계속 다른 동물들이 도와줬어요. 나중에 거위가 컸어요. 나중에 컸는데, 이쁜 거위로 됐어요. 그다음에 이쁜 거위로 됐는데, 자기 마을로 다시 돌아왔어요. 자기 마을로 돌아왔는데, 엄마도 형제들도 보면서 기억이 안 났어요, 누군가. [조사자 2: 음, 너무 예뻐져서?] 응, 너무 이뻐졌어요. 그다음에 거위가 엄마한테 가서 엄마한테 그런 식으로 얘기했어요.

"엄마, 너 열 마리 낳았는데, 그중에서 하나가 안 예뻐, 안 예뻤죠?"

엄마 생각하면서,

"어, 안 예뻤어."

그랬어요, 답이.

엄마, 이제, 아, 엄마 아니라 아줌마. 아줌마 불렀어요.

"아줌마, 이제 나를 봐 봐요."

"어, 너 너무 이쁘다."고.

"그런 아들 나한테 있으면 좋겠다."

뭐 그런 식으로 얘기했어요. 그다음에 거위가 아줌마한테 말했어요.

"아줌마, 나 자기 아들, 아줌마 아들인데, 뭐 어렸을 때 애들 안 예뻐지면, 뭐 나가라고, 뭐 가라고 그런 식으로 하면은 안 된다."고.

"똑같이 이쁜, 안 예쁜 자식 똑같이 키워야 된다."고.

그런 식으로 우화가 있었어요. [조사자 1: 네. 어렸을 때 저도 안 예뻤는데, 우리 어머니가 예뻐해 주셨어요. (웃음)] 응. 맞아, 맞아요. 원래 엄마가, 만약에 엄마가 안 예쁘다고 얘기를 하면 마음이 얼마나 아픈데, 엄마가 계속

"아, 이뻐. 이뻐. 이뻐라. 이뻐라. 이뻐라."만

계속하면 나중에 좋은 사람 키울 수 있어요. [조사자 1: 네, 네. 좋은 얘기예요.]

둥근 빵 칼라복과 꾀쟁이 여우 [1]

● **구연정보**

조사일시 : 2016. 11. 19(금) 오후
조사장소 : 서울시 중구 을지로 러시아거리
제 보 자 : 옵샨코바야나 [우즈베키스탄, 여, 1980년생, 노동이주 10년차]
조 사 자 : 조홍윤, 황승업, 김자혜

● **구연상황**

제보자가 〈커다란 순무〉 구술을 마친 후 조사자가 또 다른 이야기를 요청하자, 곧이어 이 이야기를 구연했다. 이 이야기도 제보자가 유치원 교사 시절 아이들에게 자주 들려주던 것이라고 했다.

● **줄거리**

옛날에 산속에서 혼자 살던 할머니가 칼라복이라는 빵을 구워서 창가에 놓아 두었다. 할머니가 잠시 밭에 나간 사이에 빵은 도망을 쳤다. 도망을 가던 빵은 연달아 곰과 늑대를 만났는데, 그들이 빵에게 어디 가는 길인지 물어도 답해주지 않고 무시했다. 마지막으로 만난 여우에게도 빵은 어디 가는 길인지 대답하지 않았다. 그때 여우가 빵에게 잠시 자기 무릎 위에 앉아 쉬라고 하자 빵은 그 말대로 했고 여우는 빵을 먹어 버렸다.

산에서, 어떤 산에서 아주 옛날에 어떤 산에서 할머니가 혼자 살았어요. 혼자 살다가 너무 외롭고, 할머니가 얘기해주는 사람 앞에 없어가지고, 빵, 빵 반죽 만들어가지고 빵 만들었어요. 동그랗게 이렇게 머리처럼 생기는 거. 큰 사이즈로.

이렇게 해가지고 그다음에 저기, 반죽으로 눈 해가지고, 눈 콩 해가지고, 입 해가지고 이렇게 오븐에다가 구웠어, 구웠어요. 그다음에 그냥 잠깐 저기 창문에다가, 뜨겁잖아요, 빵이. 잠깐 놨다가 할머니 밭으로 나갔어요. 다시 집으로 와가지고 보면서 빵이 없어요. 없어졌어요. 그래 할머니가 이렇게 동그랗게 만들었잖아요. 빵이 얼굴하기 (얼굴처럼 둥글기) 때문에 빵이 사라, 사라졌어요.

그다음에 도망가 버렸어요. 이렇게 동그랗게 도망가 버리고. 그다음에 산으로 이렇게 가다가, 이렇게 가다가 곰, 곰 있잖아요? 곰 만났어요. 곰 물어보는 거예요.

"깔라복колобок●, 깔라복."

[조사자: 깔라복?] 깔라복, 이름. 빵 이름.

"깔라복, 깔라복. 어디 가는 거예요?"

"얘기 안 한다. 그냥 알아서 간다."고.

그다음에 또 곰 지나갔어요. 그다음에 저기 뭐지? 늑대. 늑대 만났어요. 늑대도 물어보는 거예요.

"깔라복, 깔라복. 어디 가는 거예요?"

"얘기 안 해준다. 그냥 알아서 간다."고.

다시 갔어요. 그다음에 가다가 여우 만났어요. 여우 만나가지고 여우 물어보는 거예요.

"깔라복, 깔라복 어디 가는 가요?"

"얘기 안 해준다."고.

"깔라복, 깔라복 여기 앉아라."

여우 위에. 깔라복 여기에 (무릎을 가리키며) 앉았다가 여우 먹었어요. [조사자: 여우가?] 빵 먹었어요. 빵 먹었어. (웃음)

● 작고 둥근 보름달 모양의 러시아 전통 빵이다. 제보자가 '깔라복'으로 표현했으나 제목과 줄거리는 다른 자료와의 통일성과 검색의 편의성을 고려하여 일반적으로 알려진 '칼라복'으로 표기했다.

둥근 빵 칼라복과 꾀쟁이 여우 [2]

● **구연정보**

조사일시 : 2017. 10. 21(토) 오후
조사장소 : 경기도 안산시 단원구 원곡동 세계문화체험관
제 보 자 : 샤히스타 [우즈베키스탄, 여, 1987년생, 결혼이주 9년차]
조 사 자 : 김정은, 황승업

● **구연상황**

제보자가 〈황금 사과〉를 구연한 뒤 유명한 이야기라면서 이 이야기를 구연했다. 인도네시아의 수산티 제보자와 태국의 샤이암랏 제보자가 청중이 되어 이야기를 경청했다. 제보자는 막힘없이 이야기를 구연해 나갔다.

● **줄거리**

할머니와 할아버지가 빚어놓은 동그란 반죽이 살아나서 도망갔다. 동그란 반죽은 자신을 먹으려는 양과 토끼와 소에게 노래를 불러주겠다면서 따돌렸다. 동그란 반죽은 노래를 부르다 여우를 만났다. 여우가 동그란 반죽에게 노래가 들리지 않으니 귀에 가까이 와서 부르라고 했다. 동그란 반죽이 귀로 올라오자 여우가 먹어버렸다.

옛날 옛날에 이제 할머니와 할아버지가 살았는데, 할머니 할아버지도 아주 못 살으셨대요. 근데 이제 할머니가 할아버지한테,

"지붕에 올라가서 밀을 쓸고 와라. 우리 반죽 만들어서 빵을 만들고 먹자."

그래서 이제 할아버지, 할아버지가 올라가셔서 밀을 쓸고 내려오셔서 이제 반죽을 만드는데, 반죽을 만들 때 이제 발효를 시키잖아요? 이제 옛날 시대에는 발효 기계가 없다 보니까, 햇빛에다가 할

머니가 올려놓으신 거야.

그래 햇빛 받으면서 그 반죽이• 갑자기 살아나서, 똑 뛰어나와서 데굴데굴 굴러가요. 어, 굴러가다가 이제 순서대로 동물을 만나기 시작하는 거죠.

제일 먼저 양을 만나요. 양은,

"오, 반죽아, 반죽아. 너 너무 맛있게 생겼다. 나 배가 고팠는데, 잘 됐다."

하면서. 그런데 이제 반죽이 (웃으며)

"나를 먹지 마라. 나 너한테 재밌는 노래를 불러줄 거야."

하며 이제 노래를

"나는요 귀여운 반죽. 할머니한테 도망가고, 뚝! 이제 너한테도 도망간다!"

하고서 도망가 버리고.

도망치고 가다가 토끼가 나오고. 토끼가

"오, 나 배, 배고팠는데, 잘 만났다."

라는데, 이제 이제 반죽이

'에헤, 토끼한테 속이기에는 너무나 쉽지.'

"날 먹지 마. 나 너한테 귀여운 노래 불러줄게."

하고선 똑같이

"할머니한테 도망가고, 양한테도 도망가고, 이제 너한테도 도망간다!"

하고서 또 도망가고.

그러다가 이제 소를 만나서도 똑같이 스스로 노래 부르다가, 도망가다가 마지막에 여우를 만나요. [조사자: 드디어.] 어. 그런데 여우 만났는데, 여우가 이제 그, 그 표현을 듣다 보니까, 여우가 좀 이제 나이 있는 여운가 봐. 많이 오래 살았는데.

"오, 반죽아. 너 어디서 이렇게 데굴데굴 굴러오고 노래 부르고

• 제보자가 주인공을 '반죽'으로 표현했으나 일반적으로 '칼라복'으로 명명하므로 다른 자료와의 통일성을 고려해서 제목에 '칼라복'을 함께 표기했다.

신났니?”

어, 이러다가,

“아니야.”

여우보고서 이제 반죽도 한 번 섰다가,

“와서 한 번 나랑 악수해 봐.”

하는데,

“나 악수 안 하고 너한테 노래 불러줄게.”

하고서 제대로 또 노래를 불러주다가, 이제

“너한테도 도망”

하다가 여우가

“잠깐만 기다려. 나 귀가 잘 안 들려. 내 귀 위에 올라와서 좀 노래 불러줄래?”

그러다가, 이제 반죽은 모르지. 반죽은 귀에 올라가서 다시 그 노래를 불러주다가, 이제 여우가 먹어버린 거야. 그래서 우리가 아는, 이제 아는 거는

‘아, 여우가 지혜롭구나.’

그 생각에 또. [조사자: 똑같네요. 여우가.] (웃으며) 응. [조사자: 여우는 그렇게 한 차원 높아요. (웃음)]

키르기스스탄

사람이 사라지는 동굴

● 구연정보

조사일시 : 2018. 01. 28(일) 오후
조사장소 : 경상북도 영덕군 병덕면
제 보 자 : 토레에바 아이자다(정수진) [키르기스스탄, 여, 1980년생, 결혼이주 16년차]
조 사 자 : 김정은, 황승업, 강새미

● 구연상황

제보자가 〈꾀 많은 여우와 개미〉를 구연한 뒤, 준비해온 이야기를 마쳤다고 했다. 조사자가 호수나 강에 관련된 이야기를 질문하자 잘 모르겠다고 했다. 살았던 동네에 전해진 이야기나 바위의 유래담 질문했더니, 실제로 있는 동굴 이야기가 영화로도 만들어진 적이 있다며 구연을 시작했다. 제보자 옆집에 사는 키르기스스탄 출신의 친구 마두마로바 씨가 이야기를 함께 들었다.

● 줄거리

사람들이 산에 놀러가서 술을 마시며 놀고 있는데 갑자기 사람들이 한 명씩 사라지기 시작했다. 결국에는 한두 명 정도만 남았고, 그들은 겨우 도시까지 도망칠 수 있었다. 그들이 놀러간 곳에는 얽힌 이야기가 있었다. 옛날에 한 가난한 남자와 부잣집 딸이 사랑에 빠졌는데, 여자의 부모가 반대하자 둘은 함께 도망을 쳤다. 그러자 여자의 아버지가 하인들을 시켜 남자를 죽여서라도 딸을 데려오라고 했다. 겨우 도망친 남녀는 동굴에 숨었고, 결국 그곳에서 죽었다. 한을 품고 죽은 남녀가 그 후로 그곳에 찾아오는 사람들을 해코지한 것이었다.

저 정확하게 잘 모르겠는데요. 이제 그 스토리가 다 같이 이제 물 있고 산 있고 그런 데 놀러가요. 놀러갔는데, 그 갑자기 사람이 한

명씩 죽고 나가요. 사라지기 시작해요, 사람들이.

그런데 이제 뭐 놀러 가면 술 먹고 다들 그러잖아요. 술 먹고 일어나 보니까,

"쟤는 어디 갔나?"

"뭐, 갔겠지."

이제

"구경하러 갔겠지."

하다 보니까 없고. 뭔가가 이상한 기운이 계속 도는 거예요. 그래서 계속 이상한. 그 눈치챌 때까지 거의 반이 없고. (웃음) [조사자: 아, 사람이 자꾸 사라지는 거예요?] 그 어, 자꾸 사라지고. 그러고 나중에 진짜 눈치채고 나서 다들 막 하니까, 일단 계속 이제, 결국에는 한 명, 한 명인가 두 명만 이제 도시까지 도망칠 수 있었어요.

그래서 거기 사람 안 가는 곳이었어요. 사람 잘 없는, 안 가는 약간 좀 동굴도 있고, 약간 음침한 숲하고 이제 강물에 있는 그런 곳에 갔는데.

알고 보니까 이제 옛날이야기 갑자기 나오는데, 옛날에 어떤 부잣집 딸내미랑인가? 이제 가난한 집 아들이 사랑에 빠져서 둘이 도망치는 거예요. 다들 너무 반대해서 도망치는데, 뒤에 이제 따라 오잖아요? 그때는 무조건 말을 타고, 이제 칼을 들고 따라 오고. 그래서 이제 그 여자의 아버지가

"그 남자를 죽여서라도 딸을 데리고 와라."

이런 지시를 내렸겠죠? 그래서 둘이 그 동굴 속에 몸을 피하고. 그래서 거기서 죽게 되는 건가요. 이렇게 그렇게 돼요.

그래서 나중에 그 사람들이 왜 그렇게 됐냐면, 그 사람 이제 한이 맺혀서. 한이 맺혀서 사람들한테 이렇게 해코지를 하는 거다. 그래서 이 한을 풀어 줘야 되는 약간 그런 내용이. 아 영화가 나왔어요. 그런데 그 동굴이 진짜, 진짜래요. 있었, 있대요, 그 자리에.

[조사자: 네, 그렇게 한이 맺힌.] 네. 그리고 그런 이야기도 있고. 그러니까 옛날 사람들한테 내려온 이야기를 바탕으로 이제 영화를 찍은 거죠. 그런 것들이 좀 많이 있을 텐데.

구리할멈과 두 소녀

● **구연정보**

조사일시 : 2018. 01. 28(일) 오후
조사장소 : 경상북도 영덕군 병덕면
제 보 자 : 토레에바 아이자다(정수진) [키르기스스탄, 여, 1980년생, 결혼이주 16년차]
조 사 자 : 김정은, 황승업, 강새미

● **구연상황**

제보자가 키르기스스탄의 가정 풍습에 대해 들려준 뒤 조사자가 러시아의 '바바야가' 같은 인물이 있느냐고 묻자 구리할멈이 있다며 이야기를 시작했다. 제보자의 친구 마두마로바 씨가 이야기를 함께 들으며 보충 설명을 했다.

● **줄거리**

옛날에 어린 딸 두 명을 가진 가난한 과부가 딸들을 데리고 길을 떠났다. 그들은 어떤 할머니의 집에서 살게 되었는데, 주인 할머니는 하루종일 동물 가죽을 덮고 잠만 잤다. 하루는 할머니가 엄마에게 풀을 뽑으러 가자고 한 뒤 숲속에서 엄마를 죽여서 잡아먹었다. 그 할머니는 사람을 잡아먹는 구리할멈이었던 것이다. 이 사실을 알게 된 큰딸이 동생과 함께 도망치면서 집에 참새 두 마리를 남겨두었다. 할머니는 일주일 후에야 아이들이 떠났음을 알아채고서 아이들을 뒤쫓았다. 아이들이 할머니에게 엄마의 거울을 던지자 호수가 생겨 길을 막았다. 이어서 엄마의 부츠를 던지자 바위산이 생겼다. 어떤 섬에 도착한 자매는 시커먼 할머니를 만나 도움을 받았다. 그 할머니는 딸들에게 가죽 조각들을 주면서 사냥을 하러 떠난 두 아들을 찾아 달라고 했다. 딸들은 할머니의 아들들을 찾아서 돌아온 큰딸은 큰아들과 결혼하고 작은딸은 작은아들과 결혼해서 행복하게 살았다.

자 옛날에 어떤 딸 두 명을 가진 과부 한 명이 살았대요. 그래서 과부라서, 과부, 과부 한 명이 살았는데 너무 생활이 힘들다 보니까, 두 딸을 데리고 이렇게 길을 나섰어요. 그러니까 좋은 그 찾고 이제 먹을 걸 찾으러 나갔어요.

그래서 계속 가다보니까 어떤 집을 발견 돼요. 그래서 그 여자가 들어가서 하니까 어떤 할머니가 누워 계시는 거예요. [조사자: 오, 재밌어, 재밌어.] 할머니가 누워 계시는데, 그 무슨 동물 가죽을 이렇게 [조사자: 할머니가.] 덮어 쓰고 이렇게 누워 계시는 거예요. 그래서 여자가 어쩔 수 없이 자기 상황을 설명해요.

"저는 이렇게 과부가 됐는데, 딸들을 키우기가 너무 힘들어서 저는 지금 그런 먹을 거를 찾으러 다닙니다. 그래서 여기서 하룻밤만 묵고 가도 되겠습니까?"

하고 이렇게 하니까, 갑자기 할머니가

"아, 내, 우리 집에서 계속 살아도 된다."

라고 허락을 해주는 거예요. 그래서 그날부터 다 같이 살게 돼요. 그래서, 그런데 이상한 거는 할머니가 하루 종일 그 동물 가죽을 덮어쓰고 누워있기만 한대요, 아무것도 안 하고. 그리고 여자는 그 집 집안일을 다 하고 하루 종일 그렇게 바쁘게 지낸대요.

그래서 하, 어느 날 그 할머니가 그, 그 나라는 부츠를 많이 신었거든요. 부츠요. [조사자: 부츠요?] 예, 이제 양가죽으로 만드는, 뭐 가죽으로 만든 부츠를 신기 때문에, 그

"부츠 밑에 까는 풀 뽑으러 가자."

그 풀이 왜 필요한지 저도 모르겠지만.

"풀 뽑으러 숲으로 가자. 같이 숲으로 가보자."

이렇게 여자를 데리고 와요. 그래서 그 여자가 이제 풀 뽑으려고 딱 이렇게 허리 숙이는, 숙이는 순간에 그 할머니가 칼로 찔러가 여자를 죽이고, 그리고 불을 크게 피워서 구워 먹어 버려요. 알고 보니까, 그 할머니는 사람 잡아먹는 그런 구리할멈. [조사자: 구리할머니, 네.] 약간 그랬어요.

그래서 다시 할머니가 혼자 돌아오자, 여자애들은

"우리 엄마는요?"

이렇게 물어봐요. 그랬더니

"걱정하지 마라. 니 엄마는 지금 풀을 뽑고 있는 중이란다. 이제 조금 있으면 돌아올 거다."

하고 다시 그 동물 가죽을 덮어쓰고 코 골면서 잠이 들어버렸어요. 그런데 애들은 아무리 엄마를 기다려도 엄마가 안 나타나니까 걱정이 돼서 큰딸래미가 이제

"찾으러 갔다 와야겠다."

하고 숲으로 떠나요. 숲으로 가보니까 금방 꺼진 불 자리가 있고요, 엄마가 쓰던 이제 빗하고, 뭐 엄마가 신던 부츠하고 이렇게 끈하고 이렇게 딱 보니까 다 알게 돼요. 그리고 그 숲, 저 불 속에, 꺼진 불 속에 사람 아, 뼈가 있어서 아, 다 알아차려버린 거죠. 그래서 그 애는, 딸은 아무 말 않고 거기서 너무, 한참 울고. 그래서 다시 돌아와요.

그래서 엄마 물건을 다 챙겨서 다시 돌아왔는데, 오다가 새 두 마리를 잡고 와요. 그래서 여자는 집에 들어오기 전에 새 두 마리를 집안으로 날라 보내고, 자기 동생 데리고 도망쳐요.

그래서 그 할머니는 한참 자, 한참 자다가 이제 꿈에 저기, 잠에서 깨고. 깨고,

'아, 애들이 집에 있을까?'

싶어가 보니까, 어 이제 자는 쪽을 이렇게 손을 얹어 보니까 뭔가가 이제 가슴 뛰는 이게, 심장 뛰는 거를 느끼고

'아, 제 자리에 있구나.'

싶어서 다시 또 7일, 7박 7일을 자는 거죠. 7박 7일을 계속 자고. 자고 나니까 다시 배가 고파진거예요. 그래서

'이제는 애들 먹어야겠다.'

싶어서 어, 그 열어보니까 애들은 없고 새 두 마리만 있는 거예요. 그때 알아차려가지고 그때부터 쫓아가기 시작해요. 도망간 애들이.

그랬더니 음, 이제 애들 도망가다 보니까 할머니가 쫓아오는 거를 알게 돼서, 자기 엄마, 이제 돌아가신 엄마한테,

"엄마, 엄마. 우리 좀 살려줘라."

하고. 그 엄마 물건 중에 그 거울이 있었는데요, 그 거울을,

"엄마, 제발 우리 좀 살려줘요."

하고 이제 뒤를 보고 던져요. 그랬더니 그 거울이 큰 호수가. [조사자: 호수, 거울에서 호수.] 네, 호수가 돼요. 그래서 할머, 그 구리할멈이 이제 물에 들어가기 너무 무서워서, 이제 물에 못 들어가서 거기 딱 멈춰요. 그래서 애들은 도망가고.

계속 도망치다보니까, 또 어느 날 또 할머니가 또 쫓아오는 거를 발견 돼요. 그래서 그때도

"엄마, 엄마. 우리 제발 좀 살려줘요."

하고 부츠를 던지니까 그 부츠 떨어지는 그 자리에 산, [조사자: 산이 생기는구나.] 이 돌산이 하나 생겨요. 돌산 생겨요. [청자: 높은 산 생겨요.] 어, 높은 산. 그래서 또 할머니가 어쩔 수 없이 못 쫓아오게 되고, 애들은 계속도망치고. 그래서.

그런데 그 던지는 물건들이 뭐 호수가 되든 산이 되든 7일 지나면은 다시 없어지는. 그래서 7일 후에 할머니가 또 쫓아오는 거예요. [조사자: 7일마다 쫓아오는 구만.] (웃음)

(러시아어) 계속 그렇게 도망치다가 어떤 섬에, 섬. 섬에 도착하는데요. 거기도 어떤 다른 할머니가 있어요. [조사자: 오, 섬에도?] 시커먼 할머니가 있었어요. (웃음) 그래서

"아 할머니, 우리 좀 도와주시면 안 돼요?"

하고 그랬더니, 할머니가

"날, 내가, 내 얼굴을 함 봐봐라. 내 얼굴이 예쁘냐?" 고,

"내가 좀 예쁘게 생겼냐?"고.

하니까, 애들이

"우리 사람 얼굴을 안 본지 너무 오래 되어서 지금 할머니 얼굴이 제일 세상에서 제일 예쁘고, 할머니 손이 우리 엄마 손처럼 부드럽게 느껴져요."

하니까 할머니가 그 애들을 도와주고, 그 물에서 건져줘요. 그래서 그 할머니가 그래요.

“나는 아들 두 명이 있었는데, 사냥하러 갔다가 아직도, 몇 년 됐는데 아직도 안 돌아왔다. 그 숲속으로 가면.”

그. (러시아어) 그거 무슨 동물이죠? 순록. [조사자: 아, 순록. 이제 사슴.] 사슴. 어,

“사슴이 끄는, 순록이 끄는 그 썰매 타는 남자애 두 명을 볼 수가 있다. 지금 내가 어떤 그 순록 가죽을 줄 테니까 그거를 보여주면 그 애들이 니들 따라갈 수, 따라가게 된다.”

그래서 그 여자애 두 명은 할머니 아들 두 명을 찾으러 숲속으로 떠나게 되고요, 한참 찾다가 그 만나고, 그 할머니가 주는 가죽을, 가죽 쪼가리를 이제 보여주게 되고요. 그 애들은

‘아, 우리 엄마가 이 여자애들 우리한테 보냈구나.’

하고. 그리고 여자애들은 자기 여태까지 있었던 일을 다 이야기해주고요.

그래서 그 여자들은 이제

“엄마가 우리를 찾으러 오, 찾고 오라고 보냈다.”

하는 이야기까지 하니까, 이제 그 할머니 아들 두 명이 집으로 돌아가고. 그래서 집에 가서 그 큰 아들은 그 큰 딸하고, 작은 아들은 작은 딸하고 결혼하고. 그래서 행복하게 살게 되었대요.

[조사자: 섬으로 가니까 구리할멈은 더 이상?] 못 쫓아오죠. 그래서 뭐 그. 다른 할머니가 이제 지켜주는. 뭐 이제 엄마, 돌아가신 엄마일 수도 있고. 약간 그런, 약간 그런 느낌이죠. 그래서 여기서는 이제 엄마가 애들 지켜주려고 죽어서도 애들한테 계속 그런. [조사자: 해주고.] 어, 그런 도움을 주고. [조사자: 어, 되게 모성적인 이야긴데요.] (웃음)

왕비가 된 지혜로운 처녀

● 구연정보

조사일시 : 2018. 01. 28(일) 오후
조사장소 : 경상북도 영덕군 병덕면
제 보 자 : 토레에바 아이자다(정수진) [키르기스스탄, 여, 1980년생, 결혼이주 16년차]
조 사 자 : 김정은, 황승업, 강새미

● 구연상황

제보자가 〈구리할멈과 두 소녀〉를 구술한 후에 준비해 온 마지막 이야기라고 하며 구연을 시작했다. 제보자의 친구 마두마로바 씨가 이야기를 함께 들으며 보충 설명을 했다.

● 줄거리

옛날에 키르기스스탄에 사르바이라는 왕이 있었는데, 자식이 없었다. 왕은 그의 매가 선택한 사람을 왕으로 삼으라고 했고, 그가 죽은 뒤 매가 선택한 양치기가 왕이 되었다. 왕은 지혜로운 왕비를 뽑기 위해 귀족 여인들을 불러모아 세 가지 어려운 수수께끼를 냈다. 귀족 여인들은 집으로 가는 길에 한 가난한 여인에게 수수께끼에 대해 말했고, 가난한 여인은 궁에 가서 수수께끼의 답을 말했다. 그러자 왕은 세 가지 문제를 더 냈고, 가난한 여인은 문제를 맞춰서 왕비로 뽑혔다. 왕은 왕비에게 자신에게만 조언을 하게 했는데, 어느 날 왕비는 왕 몰래 한 백성을 위해 조언을 해주었다. 이 사실을 알게 된 왕은 왕비를 쫓아내며, 대신 왕비가 원하는 것 하나를 가져갈 수 있게 했다. 그러자 왕비는 왕에게 저녁식사를 함께 하자고 청한 뒤 술에 취한 왕을 데려고 갔다. 술에서 깬 왕이 무슨 일인지 묻자, 왕비는 자기가 가장 사랑하는 것을 데려온 거라고 했다. 왕은 왕비의 사랑을 깨닫고 그녀와 함께 행복하게 살았다.

옛날에 키르기스스탄에 사르바이라는 왕이 있었대요. '사르바이'의 뜻은 '사르'가 '황색'이라는 뜻이에요. 왜 '사르바이'죠? [조사자: 금?] 아니, 황색. 그냥, [청자: 노란, 노란부자?] 노란색. [조사자: '바이'는 '부자'죠?] 어, '바이'는 '부자' [조사자: 다 똑같다. 우즈벡하고요.] 어, '바이'는 '부자'인데. 그러니까 애가 약간 좀 노랗게 태어났다 해도 사르 맞제(맞지)? 그렇게 할 수도 있어. [청자: 일단은 그냥 거기는 무조건 그 있잖아. 일단 이상(한) 이름으로 짓잖아.] (일동 웃음) 그러니까 여기도 옛날에 그렇잖아요, 그 어르신들. [조사자: 네, 네.] 그런 것처럼. 일단 그 뜻은 그래요, '사르바이'가 황, 황. [조사자: 황색부자?] '황색왕', '노란왕' 약간 그런. (웃음) 이름이 그렇다고요.

그래서 왕은 나이가 너무 많아가지고 이제 죽음을 앞두고 있었대요. 그래서 자식은 한 명밖에 없었고요. 그래서, 그래서 왕은 무척 슬펐어요. 그러니까 옛날에 한 명만 자식 있으면 너무 슬픈 일인가. (웃음) 그래서, 그래서 죽기 전에 그 사르바이 왕은 신하들을 모아가지고 말을 했대요.

"나는 오래 살고, 볼 것도 많, 볼 것도 다 보고, 먹을 것도 다 먹고. 그 내가, 누군가가 나의 도움이 필요하면 지금이라도 말을 하라. 이야기를 하라. 그리고 그래, 그리고 나한테는 소원이 하나 있다. 내가 죽고 나면, 무조건 현명하고 똑똑한 사람을 왕으로 삼아라. 뽑아라!"

그래서 그렇게 이야기하고, 신하들은

"어, 그럼 폐하께서 선택해주십시오."

하니까, 왕이 한참 생각하다가 그런 말을 했대요. 자기가 오랫동안 기른 하얀 매가 있었대요. 그래서 이 매가, 그러니까 오랫동안 그 키웠기 때문에 거의 가족이랑 다름 없잖아요. 그래서

"이 매가 내가 죽으면 사흘 동안 눈도 안 뜨고, 날지도 못 하고, 먹지도 않고 그럴 것이다. 그래서 사흘 째 되는 날은 매, 매한테 밥을 주어라. 그래서, 그리고 풀어 주라."고.

"그래서 이 매가 누구의 어깨에 앉으면 그 사람을, 그 사람이 새로운 왕이다."

[조사자: 왕이구나.] 그러니까 매한테 맡긴 거죠.

그래서 왕이 죽고 정말로 하얀 새는 사흘 동안 눈도 안 뜨고, 먹지도 않고, 날지도 않고 그렇게 해버렸대요. 그래서 사흘 째 되는 날, 매한테 밥을 주고 풀어줬대요. 풀어줬더니 매는 하늘 높이 날아갔다가 원을 그리면서 어떤 가난한 양치기 어깨에 앉았대요. 그래서

'아, 그는 너무 젊고 가난하다. 우리 왕, 우리의 왕이 될 수 없다.'

갑자기 사람들이 그렇게 걱정되고 하니까, 세 장로가 나서서 막 목소리, 한 목소리로 이야기 했대요.

"우리는 왕이 살아 계실 때 약속을 했다. 그래서 하얀 매가 누군가의 어깨에 앉으면 그 사람을 왕으로 뽑기로 했으니까, 이 약속을 우리는 지켜야 된다."

그래서 사람들은 장로들의 말을 듣게 됐고, 그리고 가난한 양치기가 왕이 됐대요. 그래서 음, 새로운 왕은 이제 가난했기 때문에, 가난해봤기 때문에 그 백성들을 잘 다스렸대요. 그래서 그렇게 하니까, 이제 백성들은 이 왕이, 젊은 왕이 빨리 결혼해서 빨리 아이를 낳아야 된다고 생각을 했어요. 그래서

"어서 결혼을 서둘러야 되지 않겠냐?"고.

이제 왕한테. 아, 아니, 사르바이 왕은 자식이 한 명도 없었네요. 없었네요. 그래서 슬펐네요. 그래서 그 신하들은 빨리 결혼하고 자식을 낳아야지. 안 그러면 이 사르바이 왕처럼 자식 하나도 없이 세상을 떠나게 될지도 모르니까 이제 걱정이 돼서 그렇게 했대요. 그래서

"알았다."고.

"이제 아가씨들을 궁으로 모시고 와."

(웃으며) 갑자기.

"나는 똑똑한 여자랑 결혼하고 싶다."

그래서 귀족 아가씨들이 궁궐로 모였죠. 무조건 귀족 아가씨들이 오니까. 그래서 왕은 아가씨들에 세 가지 수수께끼를 냈대요.

"동쪽과 서쪽 사이의 거리는 얼마예요? 그리고 땅과 하늘 사이의 거리는 얼마고, 그리고 진실과 거짓 사이의 거리는 얼마예요?"

그래 진짜 똑똑한 사람을 뽑아야 되기 때문에. 그래서 왕은 세 가지 수수께끼를 푸는데 삼 일 시간을 줬대요.

“삼 일만에 이거를 풀고 오는 사람하고 이제 결혼을 하겠다.”고.

그래서 시간이 지나서 이틀이 지나고 해도 수수께끼를 푼 사람은 한 명도 없었대요. 그래서 약속한 사흘째 되는 날, 귀족 아가씨들은 궁궐로 가는 길에 땔감을 줍고 있는 가난한 아가씨를 만났어요. 가난한 아가씨가 귀족 아가씨들한테 말을 걸었대요.

“무슨 걱정거리라도 있냐?”고.

“왜 표정이.”

[조사자: 안 좋냐?]

“안 좋냐?”고.

“제가 도와드릴 거 없냐?”고.

그랬더니,

“아이, 너 따위가 신경 쓸 일이 아니니까, 네 땔감이나 주워라.”

하니까, 그랬더니, 그랬더니, 한 아가씨가 그랬더니,

“아유, 가난한 아이인데 뭘 그렇게 경계하나. 그냥 말을 해 줘보자.”

하니까, 그때야

“우리 사실 왕이 이렇게 수수께끼를 냈는데, 우리가 못 풀어서 지금 괴로워한다.”

하니까,

“아유, 그럼 절 데려가 주세요. 나는 나는 수수께끼를 풀어줄 수 있어요.”

그랬대요. 그랬더니 다들 코, 코웃음을 치고 했지만, 혹시나 이제 모르니까 궁궐로 데려가게 됐대요. 그래서 아가씨들 궁을, 궁궐로 들어오자마자 왕이 이제

“수수께끼를 풀었냐?”

하고,

“답은 무엇이냐?”고.

물어보니까, 다들 가만히 서 있었대요. 그랬더니 가난한 아가씨가 나서서

“제가 수수께끼의 답을 알고 있습니다. 동쪽과 서쪽 사이의 거리

는 하루입니다."

그래서 이제,

"해는 아침에 동쪽에서 뜨고 서쪽으로 지기 때문에 꼬박 하루가 걸리게 되고, 때문에. 그리고 땅과 하늘 사이에는, 사이 거리는 눈, 눈동자 움직이는 거립니다."

[조사자 일동: 오.]

"그래서 눈동자 위를 향하면 하늘이 보이고, 아래로 향하면 땅이 보이기 때문에. 그리고 진실과 거짓 사이는, 거리는 눈과 귀 거리."

라고 하네요.

"귀로는 거짓말을 듣지만, 눈으로는 진실을 보기 때문입니다."

그래서 다들 가난한 아가씨 대답에 깜짝 놀랐대요. 그래서 왕은 그 답이 마음에 들었지만, 수수께끼 세 개를 더 냈대요. [조사자: 어. 가난하다 이거구나.] (일동 웃음) 그러니깐 얘는 잊어버렸어.

"다시 수수께끼를 내겠어. 만약 이번에도 수수께끼를 맞추면 나의 왕비로 맞이하도록 하지."

그랬더니 그 수수께끼가 뭐냐면,

"괴로움은 무엇이오? 슬픔은 무엇이고, 부끄러움은 무엇이오?"

거기도 또 삼 일을 줘요. 삼 일 뒤 가난한 아가씨가 다시 궁궐로 들어와요.

"왕이시여, 제가 수수께끼를 다 풀었습니다. 괴로움은 질병, 슬픔은 가난, 부끄러움은 도둑질입니다."

이런대요.

그래서 왕은 가난한 아가씨 대답이 너무나 만족스러워서 이 가난한 아가씨랑 결혼하고, 이제 왕비로 맞는대요. 그래서 그 아가씨의 손은 굳은살이 박혔고 줄곧 옷이 허름했지만 말이 되나? 깨끗이 씻고 예쁜 옷을 갖춰 입으니 왕비다운. (일동 웃음) 씻고 나오니. 이 말이 너무 웃기다. 안 씻고 살았나. 그래서 왕비는 왕에게 지혜로운 조언을 해주었대요. 그래서 똑똑하니까 왕은 항상 왕비의 말에 귀를 기울이고 그렇게 살았대요. 그래서. 그런데 왕은 한 가지 요구를 했대요.

“왕비. 내 아닌 다름 사람한테 절대로 조언을 해주지 말라.”

[조사자: 아, 나한테만.] 어. 그래서 왕비는 그 요구를 받아주고, 하고 살고 있었는데. 어느 날 오해를 받은 한 사나이가 왕비에게 조언을 구하러 왔대요. 왕비는 사나이의 억울한 사정을 모두 그 척할 수 없어서, 아니 모른 척할 수 없어서, 이제 왕하고 하는 약속을 어기고 이제 그 사나이한테 조언을 해줬대요.

사나이는, 심문하는 왕은, 사나이를 심문하는 왕은 왕비가 조언을 해주었다고. 아, 심문을 또 왕이 하는구나. 그러니까 왕비가 조언했던 거를 눈치 챘지만, 진실을 직접 듣고 싶어서 물었대요.

“너는 누구한테 조언을 받았나? 사실대로 말하지 않으면 목을 매어 죽일 것이다.”

하니까, 이제 왕의 협박에 사나이는 왕비가 알려줬다고 사실대로 말하고, 왕은 왕비에게 불같이 화를 냈대요.

“니가 어느 누구에게도 조언을 하지 말라고 했는데, 왜 약속을 안 지키고 약속을 어겼나? 당신은 나의 충실한 아내가 될 수 없다. 이곳에서 당장 나가라! 대신 가장 좋아하는 것 하나는 가져갈 수 있다.”

그래서

“알겠다.”고.

왕비가 그런 말 했대요.

“그동안 잘해줘서 너무너무 고마운데, 마지막으로 부탁이 하나 있다. 저와 함께 저녁식사를 해주겠어요?”

이래, 이래서 마지막 부탁이니까 왕은 이제 안 들어줄 수가 없어서 맛있는 저녁식사를 차리고 이제 왕에게 술을 따라 주었대요. 술이 취한 왕은 그 자리에서 쓰러져 잠이 들었대요. 그래서 왕비는 가장 좋은 말을 준비, 좋은 말 하나를 준비하고, 취한 남편을 앞에 앉히고 궁궐을 떠났대요.

그래서 아침 무렵이 되어서 왕이 이제 눈을 뜨니까, 다른 도시에 와 있는 거예요. 그래서 잠이 깬 왕은 깜짝 놀라서

“여기가 도대체 어디냐? 우리가 왜 여기 있냐?”

고 하니까, 왕비가 그랬대요.

“사랑하는 남편이여, 내가 제일 좋아하는 한 가지를 가져갈 수 있다고 허락을 해줬는데, 당신이 정말 내가 제일 사랑하는 사람이기 때문에 내가 당신을 데리고 왔다.”

그래서 왕은 이제 자신에 대한 왕비의 사랑을 알게 됐고, 왕비를 데리고 다시 궁궐로 돌아가서 더 많이 사랑하고, 그리고 지금까지 왕비의 조언을 귀를 기울이고, 자식을 놓고 이제 오래오래 행복하게 살았대요. (웃음)

물고기 방생한 어부와 욕심 많은 아내

● 구연정보

조사일시 : 2018. 01. 28(일) 오후
조사장소 : 경상북도 영덕군 병덕면
제 보 자 : 토레에바 아이자다(정수진) [키르기스스탄, 여, 1980년생, 결혼이주 16년차]
조 사 자 : 김정은, 황승업, 강새미

● 구연상황

제보자가 키르기스스탄 민담 속 동물들에 대해 설명한 뒤, 새 이야기를 구연했다. 제보자가 계속 어릴 때부터 듣고, 만화로도 보고, 러시아어 시간에 푸쉬킨의 이야기로 외워서 시험을 보기도 한 이야기라고 했다. 러시아에서는 소원을 들어주는 존재가 금붕어로 자주 등장한다고 했다. 제보자의 친구 마두마로바 씨가 이야기를 함께 들으며 도움을 주었다.

● 줄거리

옛날 어느 바닷가에 고기를 잡아 생활하는 노부부가 있었다. 하루는 할아버지가 금붕어를 잡았는데, 금붕어가 자기를 살려주면 세 가지 소원을 들어준다고 했다. 할아버지가 금붕어를 놓아주고 집으로 돌아와서 할머니에게 이 말을 하자 할머니는 할아버지를 시켜 새 대야가 생겨나게 했다. 소원이 이루어지자 할머니는 할아버지를 시켜서 새 집을 달라고 하고, 다시 부잣집 마나님이 되게 해달라고 했다. 세 가지 소원을 다 쓴 뒤에도 할머니는 할아버지를 하인 취급하며 자기를 왕비로 만들어달라고 했다. 왕비가 된 뒤에도 성이 차지 않았던 할머니는 자기를 바다의 신으로 만들어 달라고 했다. 할아버지가 이 소원을 금붕어에게 말하자, 금붕어는 아무 말 없이 사라졌다. 할아버지가 집으로 돌아가 보니 모든 것들이 사라지고 원래 모습으로 돌아와 있었다.

옛날 옛날에 어떤 할아버지랑 할머니가 살고, 바닷가에 살고 있었는데. 할아버지가 매일 이제 하루를 고기를 잡으면서 생활을 하고 있었어요. 그래서 어느 날 가서 똑같이 매일같이 이제 고기를 잡아, 그물로 잡았는데, 금붕어가 걸렸어요. 금붕어가 이제 사람 말을 할 수 있었고, 이제

"할아버지 저를 보내주시면, 소원 세 가지를 들어드릴게요."

하니까, 할아버지는 뭐 생각해보고 그냥 금붕어를 보내요. 그냥 보내고. 근데 그 금붕어가

"그래도 모르니까 내가 필요하면 이제 바닷가에 와서 나를 부르면 내가 언제든지 나와 줄게. 나와 줄게요."

하고 할아버지는 집으로 돌아가고, 이제 할머니한테 그 이야기를 그대로 해줘요.

"내가 이렇게, 이렇게 금붕어를 잡았는데, 소원 세 가지를 들어준다고 하기래, 나는 그냥 보내줬다."

하니까 할머니가,

"너는 생각이 있는 사람이냐."고.

(웃으며) 그래서,

"어떻게 그런 기회가 왔는데, 이렇게 보내줄 수 있냐. 다시 가서 그 물고기, 금붕어를 불러가지고."

어. 뭐라 그러지, 그걸? 갑자기 사투리가. [조사자 1: 사투리 좋아요.] 다라이(대야), 다라이가. 그러니까 그 집이 옛날에 너무너무 가난해서 이렇게 나무로 됐는 대야. 어, 대야. 나무로 된 대야가, 대야마저 깨지는 그만한 가난한 사람들이었어요. 그래서,

"하다못해 새 대야라도 달라고 하지."

하고 하도 뭐라 해요, 잔소리를.

그랬더니 할아버지 어쩔 수 없이 다시 가서, 그 바닷가로 가서 이제 바람이 좀 세게 불기 시작하는데, 물고기를, 그 금붕어를 불러요. 불러내니까,

"아, 웬일로 다시 나를 불렀어요?"

하니까,

"아, 집에 가니까 할머니가 하도 잔소리해서 새 대야를 달라고 하네요, 하네."

하니까,

"그래, 걱정 말고 집으로 돌아가면 집에 새 대야가 있을 것이다."

하고 집에 다시 가요. 그랬더니 할머니가 또 뭐라 하는 거예요.

"니는 대야를 달라한다 해서 대야만 달라하는, 그런 어떻게 그럴 수가 있나? 차라리 가서, 다시 가서 이제 새 집을 달라 해라. 이제 집도 오래 됐으니까, 새 집을 달라 해라."

그래서 할아버지가 할머니가 너무 무서워가지고 어쩔 수 없이 다시 또 돌아가요. 이번에는 바람이 더 세게 불고, 이제 바다 출렁거리면서 그래도 한참 있다가 금붕어가 다시 나와요.

"아, 너무너무 미안한데, 할머니가 새 집을 원하고 있구나. 나한테 이제 새 집을 주면 안 되겠니?"

하고, 그래서

"이번에도 걱정하지 말고 집에 가 있으면, 새 집이 이제 나타나 있을 거다."

하고 다시 집으로 돌아가요. 그래 집에 가니까 너무너무 예쁜 집이, 이제 옛날 집 그 자리에 너무너무 예쁜 집이 있고, 할머니가 거기에 있어서, 다시 또 할아버지를 보자마자,

"새 집도 다 좋고 다 한데, 나는 이제 부잣집 마나님, 부잣집."

그 [조사자 1: 저택?] 아니요. 이거 부잣집 여자들 뭐라고 하지요, 그 옛날에. [청자: 마나님?] 마나님. 뭐 이런,

"나를 부잣집 마나님으로 만들어 달라."

그래서 이제 마지막 소원이었기 때문에 할아버지는 또 어쩔 수 없이 다시 갔어요. 가서 이제 다시 또 금붕어 불러내서,

"우리 할머니가 이제 계속 이제 소원을 들어주다보니까 이제 욕심이 생기나보다. 이제 나를 마나님으로 만들어달라고 한다."

이러고. 이번에도

"그냥 아무 걱정하지 말고 집으로 돌아가면 될 것이다."

하고 보내요. 그래서 집에 오니까, 완전 이제, 이제 성으로 생겨

있고, 안에는 그 일하는 사람? [조사자 1: 오, 하인들까지?] 어, 하인들까지 생기고, 할머니는 마나님이 되어 있고. 그렇게 딱 이제 높은 이제 저 의자에 앉아 있는 거예요. 그래서 근데 할아버지를 자기 이제 말 키우는 [조사자 2: 마구간에서?] 마구간에 일하는, 일하게 보낸 거예요. 할아버지를. 그러니까 자기가 너무너무 욕심이 이제 넘쳐나서 이제, 이제 성이 안 찬 거죠. 이제 할아버지가 이제 가난하고 오래된 옷을 입고 있으니까, 자기는 마나님인데. 그래서 눈에 안 차니까 이제 그 마구간에 일하게 보내버려요.

그런데 한 2주 정도 그렇게 시간이 지나서, 어, 어느 날 (잠시 생각하느라 구연 중단) 아! 그 할머니가 다시 불러내서,

"이번에는 나를 왕비로 만들어 달라."고.

(웃으며) 이제 거기서도 이제 멈추지 못하고 이제. 그래서 할아버지는,

"소원 세 개를 다 써서 못 간다."

하니까,

"내가 너의 마나님인데, 니는 내 하인인데, 내 말을 어떻게 안 들을 수 있어. 너를 이제 내가 죽일 수도 살릴 수도 있는데. 당장 내 시키는 대로 해라!"

하고 억지로 보낸다. 할아버지는 어쩔 수 없이 이제 바닷가로 와요. 그런데 바다는 너무 이제 하늘도 시커매 지고, 바다는 너무 출렁거리고 난리가 난거죠. 그래서 할아버지 계속 있으니까, 한참 있다가 그 금붕어가 나타나가지고,

"이번에는 무슨 일로 왔느냐?"

하니까,

"나는 갈 데가 없어서 왔다. 이제 내 할머니가 나를 죽인다고 하길래, 나는 이 쪽으로 왔다. 그래서 왕비로 만들어 달라 하는데."

하고 다시 집으로 돌아가요. 이번에도 소원을 들어주고 왕비로 만들어 줘요. [조사자 1: 우와, 네 번짼데요?] 네 번짼데. 그래서 왕비로 만들어 줬는데, 그, 이제 할머니한테 가서 이제

"이제 소원을 다 들어줬으니까 이제 마음이 편하냐?"고.

할아버지가

"이제는 됐냐?"고.

하니까, 할아버지를 감옥에 가둬버려요. (일동 웃음) 할머니가. 그래서 다른 사람들이 비웃으면서,

"너는 그렇게 해도 싸다. 할머니 뭐 요구를 계속 이렇게 들어주다 보니까, 그렇게 될 줄 알았다."

하고 다른 사람들이 너무 비웃은 거예요. 그래서 한 또 일 일쯤 있다가 할머니가 또 난리를 치고 할아버지를 찾는 거예요. 이번에는 왕비도, 왕비로 하는 것도 모자라서, 이제 바다의 여왕, 바다의 [조사자 1: 신?] 바다의 신을, [조사자 1: 여신?] 네, 여신이 되고 싶다고.

"나는 이제 바다의 여신이 될, 될 것이다."고.

할아버지를 보내고. 할아버지는 이번에 감옥에서 탁 나오니까 아무 말도 못 하고 다시 바닷가로 가요. 바닷가로 가서 이제 금붕어한테 그 이야기를 그대로 전해주죠.

"이번에는 내 할머니가 완전히 이제 욕심이 너무 끝이 없어서 여신이 되고 싶다고 말을 하더라."

그래서 이번에는 금붕어가 아무 말 안하고 그냥 바다로 다시 들어가 버려요. 그래서 할아버지는 기다리다가 아무것도 없길래 그냥 집으로 돌아가니까, 예전 그 오래된 집하고 깨진 대야 옆에 할머니는 오래된 옷을 입고 다시 앉아 있었더라. (웃음) 그러니까 다 없어진 거죠.

그러니까 이런 동화. 이제 사람 욕심이 이제 끝이 없고, 너무 욕심을 부리다 보면 아무것도 안 남을 수 있다는. [조사자 1: 안 남는다.] 네, 약간 그런 내용인 것 같아요.

제일 힘센 존재는 사람

● **구연정보**

조사일시 : 2018. 01. 28(일) 오후
조사장소 : 경상북도 영덕군 병덕면
제 보 자 : 토레에바 아이자다(정수진) [키르기스스탄, 여, 1980년생, 결혼이주 16년차]
조 사 자 : 김정은, 황승업, 강새미

● **구연상황**

제보자가 〈물고기 방생한 어부와 욕심 많은 아내〉를 마친 뒤 키르기스스탄의 민담을 이어서 구연했다. 조사자와 만남을 약속하고 미리 준비해 온 것이라고 했다. 옆집에 사는 키르기스스탄 출신 친구 마두마로바 씨가 이야기를 함께 들었다.

● **줄거리**

어느 겨울날에 꿩 한 마리가 얼음을 뚫고 물을 마신 후에 떠나려 하는데, 꼬리가 얼음에 붙어버렸다. 그러자 꿩은 자기의 꼬리를 붙게 만드는 얼음이 세상에서 제일 힘이 세다고 했다. 그러자 얼음은 자기를 녹이는 비가 더 세다고 했고, 비는 아무리 퍼부어도 꼼짝 안 하는 땅이 더 세다고 했다. 땅은 영양분을 빨아먹는 숲이 더 힘이 세다고 했고, 숲은 자기를 태우는 불이 세다고 했으며, 불은 바람이, 바람은 새싹이 더 세다고 했다. 새싹은 자신을 먹는 양이 세다고 했고, 양은 늑대가 더 세다고 했다. 그러자 이 말을 듣고 있던 늑대가 이 모든 일을 할 수 있는 것은 사람이기에 사람이 제일 힘이 세다고 했다.

어느 겨울날에 꿩 한 마리가 풀 속에 앉아 있다가 목이 너무 말라, 말라서 이제 겨울이라서 꽁꽁 얼은 연못 위로 올라가서 이제 물 마실 수 있는 구멍을 찾게 돼요. 그래서 한참 찾다가 이제 구멍을 찾

아서 물 마셔, 한참 물 마시다가 이제 다시 돌아갈려니까, 꿩 꼬리가 길잖아요? 꿩의 꼬리가 그 얼음 위에 얼어붙어 버려요.

그래서 꿩이 어떻게 할지 몰라서 이제 얼음한테,

"대단하신 얼음님, 이 얼음님이 이 세상에서 힘이 제일 셉니다. 내 순식간에 내 꼬리를 이렇게 얼어붙게 만들어버리잖아요."

이러니까 얼음이 하는 말이,

"아니야. 나보다 비가 힘이 더 세. 비는, 비가 내리기 시작하면 내가 아무리 꽁꽁 얼어붙어도 금방 녹아내리고 말아버려요."

하고. 그 말을 듣던 비가

"내가 힘이 센 거 아니고, 나보다 땅이, 땅 힘이 더 대단하다. 땅의 힘이 더 대단하다. 그래서 내가 아무리 쏟아 부어도 땅은 그대로 다 흡수해버리기 때문에 땅이 나보다 더 세다."

하고 말을 해요. 그 말을 듣던 이제 땅이 땅속에 웅웅거리고 울렁거리면서,

"나보다도 숲이 힘이 세. 숲은 내 위를 뒤덮어가지고 나무들이 내 영양분이 다 빨아 먹어버려. 그래서 숲은 나보다 힘이 세."

라고 말을 했대요. 그래서 그 말을 듣던 숲이

"내가 힘이 센 거 아니고, 나보다도 불이 더 힘이 세. 불이 불, 갑자기 불나기 시작하면 나는 나는 다 이제 타버리고 말아. 내 나무들이 다 타버리고 말아."

그랬더니 이야기를 듣고 있는 불이 이제 씩씩거려요, 화가 나면서.

"나보다도 바람이 힘이 더 세. (웃으며) 바람이 제일 무서워. 이제 강한 바람 불면 나는 어디로 도망칠 줄 모르겠어."

그랬더니 바람이

"맞아. 나는 힘이 세."

이래요.

"그 나무를 뿌리 채 뽑을 수 있고, 뭐 집을 무너뜨릴 수 있고. 내가 힘이 세긴 센데, 하지만 땅을 뚫고 나온 새싹만큼은 아니야. 새싹은 아무리 불어도 꼼짝도 안 하더라. 그래서 새싹이 제일 힘이 세더라."

[조사자: 네, 너무 좋아요.] 네, 그랬더니 새싹이

"나는 힘이 없어요."

하면서 작은 목소리로 말을 했대요.

"양 떼가 나타나면."

이제 키르기스스탄 동화니까 양 떼가 나타나요.

"양 떼가 나타나면 나를 밟고 물어뜯고 금방 먹어치우더라. 그래서 양이 제일 힘이 세더라."

하니까 양이

"나한테 무슨 힘이 있다고 그래요."

하면서 울먹였대요.

"늑대가 나타나봐라. 내 꼬리를 물고 가서 한 방에 먹어치우는데, 이 세상에 늑대가 제일 힘이 세다."

하니까, 그래서 여태까지 이 대화를 듣고 있던 늑대가 말을 했대요.

"너희들은 아무것도 모르는구나. 이 세상에, 이 세상에 사람이 제일 힘이 세다. 사람은 이제 꿩도 잡아먹을 수 있고, 얼음도 깰 수 있고. 비가와도 이제 꼼짝도 않고, 땅 파고 농사짓고, 그리고 숲에 있는 나무도 베어가고. 거기다가 바람하고 불을 이제 자기 필요한 만큼 자기 생활에 이용할 수 있고. 그래서 풀을 베고 양도 잡아먹고, 거기다가 나 같은 늑대뿐만 아니고 이제 호랑이랑 사자 같은 동물들도 사냥할 수 있다. 그래서 이 세상에서 사람이 제일 힘이 세다."

고 했대요. (일동 웃음)

꾀 많은 여우와 개미

● 구연정보

조사일시 : 2018. 01. 28(일) 오후
조사장소 : 경상북도 영덕군 병덕면
제 보 자 : 토레에바 아이자다(정수진) [키르기스스탄, 여, 1980년생, 결혼이주 16년차]
조 사 자 : 김정은, 황승업, 강새미

● 구연상황

제보자가 〈제일 힘센 존재는 사람〉 이야기에 이어서 이 이야기를 구연했다. 조사자와의 만남을 약속한 뒤 준비한 이야기라고 했다. 제보자의 친구 마두마로바 씨가 이야기를 함께 들었다.

● 줄거리

옛날에 여우와 개미가 있었다. 친한 친구 사이였던 둘은 함께 농사를 짓기 시작했다. 그런데 여우는 일을 하기가 싫어 배가 아프다거나 머리가 아프다는 등의 핑계를 댔다. 그러나 개미는 계속 일을 했다. 시간이 흘러 농작물을 추수할 때가 되었다. 개미가 농작물을 수확해 창고에 놓은 것을 보고 욕심이 생긴 여우는 꾀를 냈다. 여우는 개미에게 달리기 시합을 해서 먼저 창고에 도착한 쪽이 농작물을 다 갖자고 제안했고, 개미는 승낙했다. 여우가 열심히 달려와 몸을 부르르 털었는데, 이미 도착한 개미가 곡식 창고 위에서 기다리고 있었다. 사실은 개미가 여우 몸에 몰래 올라타서 여우가 몸을 털 때에 곡식 창고 위로 올라간 것이었다. 결국 모든 곡식을 개미가 갖게 되어 풍성한 겨울을 보냈다.

옛날에, 옛날에 여우와 개미가 살고 있어, 아 여우와 개미. 아 최대한 저렇게 해볼게요, 자연스럽게. (일동 웃음) 여우와 개미가 친구

사이였는데요. 어느 날 둘이 힘을 합쳐서 농사를 짓기 시작했대요. [조사자: 여우가 개미하고요. 네.]

그라고, 그런데 여우는 이제, 여우는 약간 좀 원래 좀 약간 게으른 동물이라는 이미지가 있잖아요. [조사자: 거기 서는요?] 네. [조사자: 우리는 영악한 동물.] 우리는 여우라면은 에, 꾀가 많고 게으르고. 이제 머리 쓰고, 잔머리 쓰는 거죠. (일동 웃음) 그러니까 잔머리 쓰고 일을 안 하고. 그래서 '여우같다.' 뭐 '여우.'이러면 일 피하고 다니고. 왜냐면 그 나라는 제가 아까 그랬잖아요. 무조건 일을 해서 뭐를 얻는 그런 그거 때문에 여우는 잔머리를 쓰고, 이 잔머리 쓴다는 거는 무조건 일을 피한다는 거. (웃으며) 그렇게 바로 연결이 되는 거죠.

그래서 여우는 하루는 배 아프다고 그러고, 하루는 또 뭔 이야기, 머리 아프다 그러고 일을 안 하고 하루 종일 산에 가서 그 쿠무스*를 마시고 누워 있었대요. (웃음) 그런데 개미는 그 시간에 계속 일을 하는 거죠. 그래서 그 여우가 그렇게 여기저기 놀러 다니고 그렇게 하는 사이에 어, 이제 곡식을 이제 다시 그 하애해야 되는 시간이 왔어요. 농사가 다 이제 마무리 됐고. [조사자: 걷어야 되는구나.] 네, 걷어야 되는 그, 저기 시간이 와서 개미가 이제 다 창고로 이제 곡식을 옮겨 놓으니까, 여우가 이제 갑자기 나타나서, 창고에 꽉 찬 곡식을 보니까 욕심이 생기잖아요. 그래서 혼자서 차지하고 싶어져요. 그래서, 그래서 그래요.

"개미야, 우리 수확한 곡식을 반으로 나누자. 아니, 반으로 나누지 말고 달리기 시합을 해서."

달리기 시합을 또 잔머리가 나오기 시작.

"달리기 시합을 해서 이기는 쪽이 모두 다 가지자."

이렇게 그

"저쪽에 보이는 이제 창고에 먼저 도착하는 사람이 이기는 거야."

그랬더니 개미가 또 거기다가

"알았다."고.

* 쿠무스(kumys) : 말이나 낙타의 젖으로 만든 아시아 유목민들의 전통 술이다.

좋아하고 얼른 대답을 했대요. 그래서

"잘 생각했어, 개미야."

하고 이제 출발하고 둘이 달리기 시작했는데, 여우는 힘차게 달려갔대요. 계속 빨리 달리고 이제 창고에 도착하자마자 이제 너무 기뻐가지고 몸을 부르르 떠니까, 갑자기 곡식 창고 위에서 개미 목소리가 들리는 거예요.

"여우야 왜 이렇게 늦게 왔어?"

이러니까 여우가 깜짝 놀래서

"야, 니 언제 왔나?"

그랬더니,

"한참 전에 와 있었다. 니가 언제 오는지 기다리다 깜빡 잠이 들었네."

이러면서.

그 사실은 이게 어떻게 된 일이냐면, 개미가 출발하자마자 아, 여우가 출발하자마자 여우의 꼬리에 딱 올라서서 그 뛰어가서 몸을 부르르 떠는 순간 그 거기다가 올라가 있고, 일부러 여우를 이제 먼저 왔는 척 하면서 그래서 결국은 이제 여우가 욕심을 부리다가 나중에 이 그 뭐지? [조사자: 곡식?] 내기에서도 지고, 네, 곡식도 못 얻어먹고. 그래서 개미는 혼자서 풍성한 겨울을 보냈다고 합니다. (일동 웃음)

둥근 빵 칼라복과 꾀쟁이 여우

● **구연정보**

조사일시 : 2018. 01. 28(일) 오후
조사장소 : 경상북도 영덕군 병덕면
제 보 자 : 토레에바 아이자다(정수진) [키르기스스탄, 여, 1980년생, 결혼이주 16년차]
조 사 자 : 김정은, 황승업, 강새미

● **구연상황**

제보자가 〈사람이 사라지는 동굴〉 이야기 구연을 마친 뒤 조사자가 러시아 민담에 대해 물어보자 이 이야기를 구술했다. 제보자의 친구 마두마로바 씨가 이야기를 들으며 구연을 거들었다.

● **줄거리**

러시아 사람들은 주식이 밀가루이기 때문에 빵과 관련된 이야기가 있다. 옛날에 어느 가난한 노부부가 살았는데, 하루는 할머니가 온 집안의 밀가루를 탈탈 털어서 동그란 빵 칼라복을 만들었다. 할머니는 칼라복을 식히기 위해 창가에 놓았는데, 칼라복이 노래를 부르며 도망갔다. 칼라복은 토끼를 만났는데, 노래를 부르며 토끼로부터 도망갔다. 이어서 늑대와 곰을 만난 칼라복은 똑같이 노래를 부르며 도망갔다. 다음에 여우를 만났는데, 칼라복이 또 도망가려고 노래를 부르자 여우가 잘 안들린다면서 자기 코 위에 올라와서 노래를 불러달라고 했다. 칼라복이 여우 코 위에서 노래를 부르려고 하자 여우가 칼라복을 낼름 삼켜버렸다.

칼라복이 원래 그 동그란 빵이에요. 동그란 빵. [청자: 식빵 같은 거.] 예, 동그란 빵이에요. 이것도 러시아를 이제 한눈에 알아볼 수 있는 약간 그런 책에 많이 나오거든요. 왜냐면 러시아는 주식이 밀

가루기 때문에, 이제 좀 빵 이야기 나오고, 약간 그런 거 나오는데.

이제 옛날에 한, 또 가난한 이야기예요. 할머니가 집에 있는 밀가루를, 온 집에 있는 밀가루를, 그러니까 온 집에는 여기도 여기도 있겠죠? 그래서 다 탈탈 털어서 겨우 이제 동그란 빵을 하나 만들어요. 겨우 빵을 하나 만들고. 이제 구워서 이제 창가에 식으라고 놔뒀는데, 갑자기 그 빵이 도망쳐요. (웃음) 갑자기 그 빵이 도망치면서 빵의 모험이 시작해요, 거기서.

그래서 도망치면서 이제 거기 나오는, 이제 자기가 만든 노래가 있어요.

"나는 할아버지한테도 도망쳤고, 할매한테도 도망쳤고."

이렇게 쳤다고 이렇게 가고 있었는데.

제일 먼저 누구를 만났냐면. [청자: 토끼?] 토끼를 만나요. 토끼를 만나니까,

"너는 뭐냐? 왜 여기서 돌아댕기느냐?"

그러니까 갑자기 그 노래를 시켜.

"난 할머니한테도 도망쳤고, 할아버지한테도 도망쳤다."

이러니까,

"토끼 너한테도 도망칠 거야."

하면서 또 도망가 버려요. 빙글빙글 돌면서. 동그라니까.

그래 두 번째 늑대를 만나고. 늑대가 이제 어디서 왔,

"너는 누구냐? 뭐 어디서 왔나?"

하니까, 또 그 노래를 불러요.

"나는 할아버지한테도 도망쳤고, 할머니한테도 도망쳤고, 토끼한테도 도망쳤다. 늑대 너한테도 나는 도망가 버릴 거야."

하고 계속 가고 있으니까, 곰을 만나요. 그러니까 러시아에 나오는 동물들이잖아요, 전부. 곰을 만나니까,

"너는 뭐냐? 나는 널 잡아먹을, 먹을 것이다."

하니까, 또 그 노래를 불러요.

"나는 빨리 도망칠 수 있으니까 나는 할머니한테도 도망쳤고, 할아버지한테도 도망쳤고, 토끼한테도 도망쳤고, 늑대한테도 도망쳤

고, 저 곰 너한테도 도망쳐버릴 거야."

하고 가는데, 마지막으로 여우를 만나요. 그래서 여우한테 멀찌감치 서서 그 노래를 다시 하기 시작하죠.

"나는 그 사람들한테 도망쳤다."

하니까, 여우는 이제 머리가 잘 돌아가기 때문에

"아, 나는 네 말이 잘 안 들린다. 너 미안하지만 내 코 위에 올라가서 노래 좀 해주겠니?"

하고. 그래서 빵은 아무 생각 없이 여우 그 코 위에 올라가서

"나는"

또 이렇게 신나게 노래를 부르는 순간,

'여우 너한테도 도망칠 거야.'

하려고 하는 순간에 여우는 혀를 낼름 하고, 빵을 금방 또 먹어버렸다고 (웃으며) 그런 내용의 동화 얘기예요.

[조사자: 러시아에서는 여우에 대해서 대게 긍정적인가, 그러면은? 결국 여우가 먹은 거잖아요.] 네, 그러니까 여우가 머리가 또 이게 꾀가 있었다는 그런, 증명하는 그런 동화죠.

타지키스탄

타지키스탄의 의미와 영웅 이쓰모일 소모니

● **구연정보**

조사일시 : 2018. 05. 16(수) 오후
조사장소 : 서울시 광진구 화양동 건국대학교
제 보 자 : 무나바르 [타지키스탄, 여, 1995년생, 유학 2년차]
조 사 자 : 신동흔, 오정미, 한상효, 엄희수

● **구연상황**

제보자가 〈늑대와 일곱 마리 새끼 염소〉 이야기 구연을 마친 뒤, 조사자가 질문을 통해 이야기를 유도했다. 조사자가 타지키스탄에 유명한 신화가 있느냐고 묻자 제보자는 타지키스탄에서는 고전 문학에 대해 많이 배우지 않아 잘 모른다고 했다. 다시 조사자들이 타지키스탄에서 유명한 인물에 대한 이야기가 있느냐고 묻자 제보자가 이쓰모일 소모니라는 사람에 대한 이야기를 시작했다.

● **줄거리**

타지키스탄에서 제일 큰 산의 이름은 이쓰모일 소모니인데, 이는 유명한 영웅의 이름을 따서 붙인 것이다. 이쓰모일 소모니는 유명한 전쟁 영웅이다. 국가 지폐에도 그의 얼굴이 그려져 있다. 타지키스탄이라는 국가 이름은 왕관이 있는 사람들이라는 뜻이다. 키스탄 공화국에서 왕관이 있는 소수민족들이 모여서 만든 나라를 의미한다.

우리나라에서 이제 제일 큰 산을 그 '이쓰모일 소모니Исмоили Сомонӣ'의 이름으로 지었고. [조사자 2: 아, 나라에서 제일 큰 산을?] 네. 이 사람이 우리나라를 위해서 이제 많이 싸웠구, 우리 타지키스탄을 이렇게 만들었다고 해요.

[조사자 2: 어떻게 만들었다고 해요?] 그, 전에는 페르시아랑 우리

이렇게 하나였잖아요. 큰 나라였잖아요. 큰 나라에서는 이렇게 타지키라는 거는 이제, 뭐죠? 왕관이 있는 사람들이라고 해서 그 타지키스탄이라고 했구. 그, 그 사람 때문에 우리나라가 이제 왕관 있는 사람들, 그런 쪽으로 타지키스탄이 된 거예요.

[조사자 2: 이 자료 봐도 돼요. 가물가물하면 봐도 돼요. 어차피 우리는 여기 나라 언어로 되어 있는 거 모르니까.] [조사자 1: 타지키라는 게 무슨 뜻이라고?] 그, 왕관이 있는 사람들. [조사자 2: 아마 이게 정확하게 나라 명칭이, 타지공화국이더라구요. 키스탄 공화국 해서, 왕관 있는 소수민족들이 모여서 한 나라를 만들었다, 이런 뜻인 거죠?] 네.

(제보자가 관련 자료를 찾는 동안 조사자들이 대화를 함.)

여기 보면, 이쓰모일 소모니가 우리나라를 위해서 많이 싸웠다고 해요. 그, 마베나흐리라고 나라도 있구. 음, 이제 이쓰모일 소모니가 왕이 되고 나서, 어, 소모니언이라고 나라를 이름 지었어요. [조사자 2: 소모니?] 소모니언. [조사자 2: 소모니언.] 근데 왕이 되고 이제 제일 오래 왕이 되었던 거 같애요. 왕이었어요. 어, 그리고 지금 어, 이쓰모일 소모니 이제 지폐, 돈 사진도 있구. 그러구. 음, 근데 우리나라에서는 아니지만 우즈베키스탄에 부하라라는 어, 도시에서 박물관이 있대요.

[조사자 2: 근데 그 왜 산 이름을 이 영웅 이름으로 만든 거예요?] 어, 그 산이 높, 제일 높고 이렇게 세계에서 두 번째로 이렇게 높은 산이 그 산이에요. 에베레스트 아니고 두 번째로 이쓰모일 소모니라구. 그, 누구보다도 높고, 이렇게 나라를 이렇게 이끌어왔으니까 이렇게 했던 거 같애요.

[조사자 2: 그러면 타지키스탄이 보니까 우리나라의 3분의 2정도의 작은 나라인데, 타지키스탄만의 언어가 있더라구요. 그 말도 이쓰모일 소모니가, 우리나라 세종대왕처럼 만든 거예요?] 만든 건 아닌데, 페르시아어가 우리도 독립을 해서 이제 다른 페르시아어를 썼던 나라들과 달리 이렇게 언어가 발달해와서 바뀐 건데. 역사를 보면은 우리 나라 언어가 페르시아어였어요, 옛날에. [조사자 1: 그걸 나라에 맞게 좀 변형을 해서 쓰고 있는 거야?] 네. [조사자 2: 그럼 페르시아어랑 굉장히 비슷하겠

네요?] 네, 그래서 이란이랑 아프가니스탄이랑 말이 통해요. 서로 이해도 하구. 조금씩 다르지만은 이해를 해요. 서로. [조사자 2: 그래도 서로 이렇게 들어보면 알아요?] 네.

주무랏 큰맛 자매와 숲속의 할머니

● **구연정보**

조사일시 : 2018. 05. 16(수) 오후
조사장소 : 서울시 광진구 화양동 건국대학교
제 보 자 : 무나바르 [타지키스탄, 여, 1995년생, 유학 2년차]
조 사 자 : 오정미, 한상효, 엄희수

● **구연상황**

제보자와 만난 조사자들이 기본 정보와 한국어를 배우게 된 사연 등을 듣고 나서, 본격적으로 설화 조사에 들어갔다. 제보자가 어렸을 때 아빠에게 들었던 설화라며 이야기를 시작했다. 한국의 콩쥐팥쥐 설화와 비슷한 이야기라고 소개했다.

● **줄거리**

주무랏과 큰맛이라는 자매가 있었는데, 엄마는 큰맛만을 예뻐하고 주무랏에게는 일을 시켰다. 하루는 주무랏이 밥을 늦게 차렸다고 집에서 쫓아냈다. 주무랏이 숲속에서 울고 있자, 한 할머니가 와서 자기네 집으로 가서 같이 살자고 했다. 주무랏은 할머니를 도와 일을 하며 함께 살았다. 주무랏이 자기 가족이 보고 싶어 집으로 돌아가겠다고 하자 할머니는 집 지하에 가서 하얀 문을 열고 궤를 가져가라고 했다. 주무랏은 궤에 있는 보석과 금을 가지고 집으로 돌아갔다. 이를 본 큰맛이 주무랏을 따라 했는데, 할머니와 살면서 일을 하나도 하지 않았다. 할머니는 큰맛에게 검은색 문을 열고 궤를 가져가라고 했다. 큰맛이 가져온 궤에는 용이 들어있었다. 용을 본 큰맛과 엄마는 도망갔고, 용은 그들을 쫓아갔다. 주무랏은 아빠와 행복하게 살았다.

어느 마을에서, 그, 부부랑 이제 '주무랏'과 '큰맛'이라는 딸이 두 명 있었어요. (조사자가 발음을 다시 물어보고 제보자가 알려주었다.) 이제, 어, 마을에 사니까 할 일도 많고 집안일도 많고 그러니까. 주무랏은 이제 다 하고 밥도 차리고, 상도 차리고 빨래도 하고 그러는데. 큰맛은 인제 엄마가 예뻐해주고, 먹기만 하고 자기만 하고 막 그랬어요.

근데 이제 엄마가 주무랏보고,

"왜 밥 아직도 안 차렸냐?"고.

물어봐요. 물어봐요. 그

"어머니, 이제 5분만 기다려주세요. 하고 올게요."

이러고서 가는데 그때 큰맛이 이렇게 일어나요. 일어나서,

"어, 왜 밥이 아직 없어?"

이러면서 울어요. 우는데, 그때 이제 엄마가 화가 나서 주무랏한테 집 나가라고 해요.

"집 나가서 오지 말라."

고 해요. 주무랏은 이제 울면서 나가서 이제 숲속으로 들어가요. 숲속으로 들어가는데 갈 곳도 없고, 외롭고 이제 울면서 너무 피곤하니까 앉아있었어요. 그때 이제 할머니가 와서,

"어여쁜이 뭐하냐 여기서?"

이렇게 물어봐요. 어, 주무랏이 이제 어, 엄마가 이제 집에서 내보냈다고 오지 말라고 하고 울어요. 할머니가,

"나랑 가자. 내 집에서 살자."

그러고 같이 가요. 어, 할머니 집 가서 얼마 동안 일도 하고 밥도 차리고 빨래도 하고 다 하고 지내요. 근데 이제 아빠도 보고 싶고 집 가고 싶고 마을에 돌아가고 싶은데 할머니한테 이제 가겠다고 말을 해요. 그때 할머니가 이제 많이 주무랏이 많이 도와주고 그랬으니까 선물 주겠다고 해요. 그, 선물 주겠다구 하구. 주무랏한테,

"지하방에 가서 그, 가면은 거기 가면 문이 두 개 있다."

고 해요.

"흰색과 검은색 문이 있다."

고 해요.

"흰색 문을 열어서 거기 궤를 어, 찾아가라."

고 해요. [조사자 1: 뭘 찾아요?] 궤. [조사자 1: 괴?] 궤.

"큰 상자같이 생긴 거를 찾아가라."

고 해요. 그래서 주무랏이 그 궤를 이렇게 집까지 이렇게 가져가요. 이제 어, 가져가는데, 음, 엄마가 그 궤를 보고 빨리 열으라고 해요.

"열어서 보여줘라."

고 해요. 그, 그, 안에 뭐 있는지. 여니까 안에 버섯, 그런 거 많이 들어있었어요. 금, 그런 거. 그래서 큰맞이 질투가 나서 나도 하겠다고 해요. 나도 하겠다, 그 할머니한테 선물 받아야겠다, 그 궤를. 그래서 엄마가 아빠한테

"큰맞, 그 딸을 데려다 줘. 그 숲까지. 거기 앉아 있으면은 그 할머니가 데리고 가고 선물 줄거라."고.

"괴롭히지말구 그냥 데려다줘."

그래서 아빠랑 딸을 보내요. 아빠가 이제 숲속에 들어와서 딸을 앉히고 가요. 그 큰맞이 이제 먹기만 하고 자기랑 이제 빵같은 거, 사탕 같은 거 많이 챙겨가요. '내가 피곤했으니까 이제 앉아서 좀 먹고 기다리자.' 이러면서 기다려요. 먹고 있는데 할머니가 와요. 할머니가 와서 그

"예쁜이 뭐하니?"

그러면서 물어보구. 그 큰맞이 할머니보고

"안보이냐? 먹고 있잖아."

이러면서 말을 대답을 해요. 그 할머니가

"알았으니까 나랑 같이 가서 같이 살자."

그래서 데려다 가요, 집으로. 가는데 큰맞이 사는 동안, 같이 사는 동안 먹기만 하고 할머니한테 일을 시켜요.

"밥 차려줘, 이거 해줘."

이러면서

"가져가세요, 씻으세요."

이러면서 일을 시키고 그래요. 그때 이제, 얼마 지나고 큰맞이 이제 집 가겠다고 해요. 그래서 할머니가

"그래 가라."

가라고 하는데 큰맛이

"나 선물 안 주냐?"

이러면서 물어봐요. 할머니가

"그래, 너도 줄게."

이러면서 지하방으로 보내요. 검은 문을 열면 거기 궤 있다고 해요. 그 궤를 가져가면 돼. 이러면서 보내요. 큰맛이 이제 집 와서 궤를 엄마한테 보여줘요. 보여줬는데 엄마가

"빨리 방으로 들어가서 열자."

안에 금이 많이 있다고 생각하고 방에 들어가요. 방문도 닫고 이렇게 이제, 아무도 몰래, 모르게 열고 다 보려고 해요. 이렇게 여는 순간, 안에서 용이 나와요. 용이 나와서 이렇게 엄마 딸이랑 너무 무서워서 도망가요. 도망가고, 그때 이제 아빠랑 주무랏이 그 소리지르니까, 그거를 듣구 방에 들어오는 이제 다, 책상과 그런 것들이 부서져 있구. 엄마랑 이제 큰맛이 방에 없구, 도망가서 이제 아빠랑 주무랏이 행복하게 살았다고 해요.

[조사자 1: 그 용은 어떻게 된 거예요. 그럼?] 용은, 용은 엄마 딸을 쫓아가요. [조사자 2: 용은, 타지키스탄에서 어떤 모양으로 생겼어요?] 어, 작구 한국처럼은 아니에요. 그, 작구, 날개도 있구. 이렇게 불, 불. [조사자 2: 불 뿜고? 서양 용하고 비슷하게 생겼어요?] 네. 네.

[조사자 1: 아까 전에 왜, 큰맛한테는 할머니가 저 검은색 문을 열고 들어가라고 알려줬잖아요. 근데 주무랏한테는 흰 문과 검은 문 중에 니가 택하라고 한 거예요, 아니면 똑같이?] 그 흰색 문을 열어서 그 흰색 궤를 찾아가라고 해요. [조사자 1: 아, 흰, 얘한테는 흰색을? 아. 오케이. 그다음에 궁금한 거 또 하나. 열어보니까 주무랏 그 궤에는 버섯이 들어있었어요?] 네. 버섯이랑 금이랑 뭐 여러 개 이렇게 비싼 것들 있잖아요. [조사자 2: 먹는 버섯이요? 보석?] 보석. 네. [조사자 1: 아, 먹는 버섯이 아니라? 그러니까 그 부분이. 버섯 아니구, 머쉬룸mushroom 아니고.] 아니에요. 보석. [조사자 1: 보석.] 보석이랑 금.

[조사자 1: 버섯이 이 나라에 특별한 의미가 있나 했지. 아, 보석. 오케이 오케이. 재미있네요 진짜 콩쥐팥쥐인데요? 요기는 근데 엄마가 계모예

요? 그건 아니죠?] 아니에요. 큰딸을 괴롭히구 작은 막내딸을 예뻐하구 이렇게 아무 일 시키지 않구 그랬어요. [조사자 1: 그래서 그 용을 그렇게 쫓아갔다. 그리구 끝나는 거죠? 어떻게 했는지는 모르구. 네, 재미있어요. 약간, 이야기가 확실히 요기가 서양과 동양을 만나는 중앙아시아잖아요. 약간 좀, 약간 뭐라 그럴까? 백설공주 신데렐라 느낌도 나고 재미있네요.]

늑대와 일곱 마리 새끼 염소

● **구연정보**

조사일시 : 2018. 05. 16(수) 오후
조사장소 : 서울시 광진구 화양동 건국대학교
제 보 자 : 무나바르 [타지키스탄, 여, 1995년생, 유학 2년차]
조 사 자 : 신동흔, 오정미, 한상효, 엄희수

● **구연상황**

제보자가 〈주무랏 큰맛 자매와 숲속의 할머니〉 이야기를 마치고 조사자가 두 번째 이야기를 구연해 줄 것을 요청하자 제보자가 잠시 고민하더니 늑대와 일곱 새끼 염소에 대한 이야기를 시작했다. 수업을 마친 신동흔 조사자가 이야기판에 합류했다.

● **줄거리**

엄마 염소가 새끼 염소들을 두고 밖에 나간 틈에, 늑대가 나타나서 엄마 행세를 하면서 문을 열게 했다. 집으로 들어온 늑대는 일곱 새끼 염소 중 여섯 마리를 삼켰다. 엄마 염소라 돌아오자 오븐에 숨어있던 막내 염소가 사실을 말했다. 엄마 염소는 뿔로 늑대를 찌르고서 그 뱃속에 있던 새끼 염소들을 구출했다.

어느 마을, 산 쪽에 사는 염소가 있었어요. 일곱 새끼랑 같이. 새끼 염소랑 이제 같이 살고, 이렇게 풀도 가져다주고, 우유도 주고 이렇게 이제 자랐어요. 그 일곱 새끼 염소들. [조사자: 누구랑?] 엄마랑. [조사자: 엄마 염소랑?] 엄마 염소.

이렇게 같이 살았는데 어느 날, 그 시골에 그, 늑대가 나타나요. 늑대가 나타났는데 어, 여기에 있는 약한 동물들을 다 잡아 먹겠다

구, 그 동물들을 잡아 먹구 시골에 다니구 그래요. 그때 이제 엄마 염소가 자식들한테 뭐

"집에서 나가지 마라. 내가 풀 가져올 때까지는 이제 아무한테 문을 열어주지마."

이러고 나가요, 집에서. 나갔는데 그때 이제 늑대가 그거를 봐요. 보는데, 가서 문을 두드려요.

"내가 엄만데, 풀 가져왔으니까 문을 좀 열어줘."

이러면서 무서운 목소리로 애기들한테 말을 해요. 애기들은

"네가 우리 엄마 아니니까 문 안 열어 준다."

이러면서 문을 안 열어줘요. 늑대가 화가 나서

"좀 기다려, 내가 올 테니까."

그, 가서, 가요. 저녁에 엄마가 돌아와요. 돌아와서 이제 풀도 주고 우유도 주고 애기들을 재워요. 어, 그리고 다음날 지나고 얼마 지나고 늑대가 이제 목소리를 너무 얇게 연습해서 돌아와요.

돌아오는데, 어, 그, 염소 새끼들은 이제 엄마라고 믿고 이제 목소리가 얇고 그러니까, 엄마라고 믿고 문을 열어줘요. 문을 열어줬는데 어, 여섯, 여섯 염소새끼를 잡아먹어요. 잡아먹는데 늑대가 제일 막대 염소 새끼가 오븐 안에 들어가서 숨어요.

늑대가 다 잡아먹고 가는데 엄마가 돌아와요. 엄마가 돌아와서 보니까 집이 다 부서져 있구. 다 뒤집혀 있구 그러니까 울어요. 내 자식을 어떻게 됐나, 우는데. 그 막내 새끼가 오븐에서 어, 오븐에서 이렇게 뭐죠? [조사자: 나와서.] 나와서 엄마한테

"늑대가 다 잡아먹었다."고.

이러면서 울어요. 근데 늑대가 다 듣고 있어서. 이제 염소, 엄마 염소한테

"어쩌지? 내가 안 먹었으니까 내 탓 하지마."

이렇게 말을 해요.

그때 염소 엄마가 화가 나서 뿔로 이렇게 자기 뿔로 가서 늑대 배를 찔러요. 찌르는데 이렇게, 늑대 배가 이제 다 삼켜먹었으니까 너무 컸어요. 배가 이제 터지고 여섯 마리 염소 새끼들이 나와서 엄

마를 찾아가요. 그니까 이제 늑대가 어, 도망가고 다시 안 돌아와요 시골로. 이래서 엄마랑 일곱 염소 새끼들은 잘 살고 뭐 이랬어요.

제보자 정보

김알라

[러시아(고려인3세), 여, 1977년생, 결혼이주 5년차]

김알라 제보자는 1977년 러시아 동북쪽의 카바로프스크에서 태어났다. 고려인 3세로 15살 때부터 친척집이 있는 한국에 자주 다니러 왔다. 러시아에서 한국인과 결혼하고 이주하여, 현재는 경기도 오산에 거주하면서 학생들에게 피아노를 가르치고 있다. 영어와 러시아어를 통번역하는 일과 초등 방과후 다문화 수업도 하고 있다.

조사팀은 김알라 제보자를 서울시 다문화동화공모전을 통해 알게 되었다. 제보자는 선정된 동화에 직접 그림까지 그려서 출판하게 될 정도로 그림을 그리는 재주도 뛰어나다. 피아노와 그림은 모두 러시아에서 어머니에게 배웠다고 한다.

김알라 제보자는 오산도서관에서 다문화 방과후 수업을 하는 이주민들과 모임을 하고 있어서, 조사자들에게 다른 나라의 이주민 제보자들을 소개해 주었고, 그 덕분에 조사팀은 3차례의 조사를 다국적 이야기판으로 구성할 수 있었다.

김알라 제보자는 밝은 얼굴로 구연에 임했으며, 다른 제보자들이 어려워할 때는 적극적으로 독려했다. 처음에는 방과 후 수업 때 했던 이야기를 구연했는데, 조사자가 기억하는 이야기를 들려 달라고 청해서 더 자연스러운 구술을 진행할 수 있었다. 2차와 3차 조사 때는 20분이 넘는 긴 이야기를 유려하게 구연하기도 했다. 세 차례의 다국적 이야기판에서 김알라 제보자가 구연한 이야기는 총 11편이다.

나탈리아(나탈리아 리토브젠코)

[러시아, 여, 1983년생, 결혼이주 13년차]

나탈리아 제보자는 1983년 러시아 블라디보스토크에서 태어났다. 러시아 요리를 배우러 온 한국인과 결혼해서 한국에 온 뒤 대구에서 시어머니와 남편, 두 자녀와 살고 있다. 러시아문화센터와 방과 후 다문화 강사를 하고 있다.

나탈리아 제보자는 한국어를 남편과 시어머니에게 배워서 경상도 사투리를 구성지게 잘하는 특징이 있다. 러시아 이야기 중 한국에 번역되지 않은 숲과 호수, 집의 신에 대한 이야기 등을 재미있게 구연했다. 자연과 소통하는 이야기를 좋아했으며, 모든 자연에 신이 있다고 생각하는 전통적 사유가 현재에도 필요하다는 의견을 제시하기도 했다. 나탈리아 제보자가 구연한 설화는 총 8편이다.

안나가르캅축

[러시아, 여, 1993년생, 유학 3년차]

안나라르캅축 제보자는 러시아에서 한국어교육학을 전공한 뒤 한국어교원 자격을 취득하고 싶어 한국에 온 유학생이다. 러시아에 돌아가면 현지의 한국어 교원으로 일할 포부를 지니고 있다고 했다. 토픽TOPIK 5급 자격을 취득한 상태였는데, 실제 한국어 구사 능력은 그 이상으로 자연스러웠다. 한국인 특유의 구어 표현을 익숙하게 사용했으며, 특별히 '되게'라는 표현을 빈번히 사용했다. 순간순간 한국인과 대화하고 있는 듯한 착각을 불러일으킬 정도로 자연스러운 한국어 구사였다. 덕분에 이야기 조사도 원활하게 진행할 수 있었다.

2017년에 부산 동서대학교 인근에서 만나 조사를 진행했는데, 러시아의 신화와 전설, 민담을 폭넓게 구연했다. 러시아 신화나 영웅 전설 구연에서는 정보에 혼선이 있었으나, 민담을 구연할 때는 이야기의 맥락을 짚어가면서 무리없이 구연을 이어갔다. 구체적인 장면에 대한 설명도 충분했으며, 적절한 대화체를 사용하는 등 훌륭한 화자의 면모를 나타냈다. 안나라르캅축 제보자가 구연한 자료는 총 14편이다.

우정부

[러시아, 남, 1941년생, 기타(영주귀국 6년차)]

우정부 제보자는 일제강점기 때 선대가 사할린으로 이주한 뒤 그곳에서 1941년에 태어난 고려인이다. 2011년에 영주귀국 제도를 통해 한국으로 돌아와 남양주에서 살고 있으며, 목회자로 일하고 있다. 러시아에서 자동차 설계를 전공하고 젊은 시절에 자동차 렌탈 사업을 하기도 했으나, 우연한 기회에 목회자로서의 길을 걷게 되어 교회를 운영하게 됐다고 한다. 한국으로 돌아온 후에도 다양한 기독교계 인물들과 어울리며 이곳저곳에 특강을 하면서 목회를 지속하고 있다.

우정부 제보자는 건국대학교 통일인문학연구단 박재인 교수의 소개로 만났는데, 76세의 나이에 하얗게 센 머리에도 불구하고 젊은이 못지않은 열정을 지니고 있으며 이야기판에서 흡인력을 나타냈다. 구연할 때의 한국어 구사 능력은 한국인과 구별이 되지 않을 정도로 뛰어났다. 제보자는 자신이 출력해 온 러시아어 텍스트를 한국어로 번역해가며 읽어나가는 방식으로 구연을 진행했다. 조사자가 이야기내용을 기억하여 들려줄 것을 요청했지만 제보자는 번역 방식의 구연을 고수했다. 총 5편의 민담을 구술했는데 내용이 길고 충실한 것들이었다.

샤히스타

[우즈베키스탄, 여, 1987년생, 결혼이주 9년차]

샤히스타 제보자는 우즈베키스탄의 타슈켄트 근교에서 1987년에 태어났다. 22살에 한국인과 결혼해서 경기도 안산에 거주하고 있다. 한국어 실력이 뛰어나 통역과 번역, 이주민 상담을 하고 있다. 안산의 세계문화체험관에서 다문화강사를 하고 있고, 다문화강사로 활동 중인 이주여성들과 함께 안산 다문화 작은도서관에서 옛이야기 모임을 함께 하고 있다.

이야기를 하는 것을 좋아하는 샤히스타 제보자는 어린 시절 학교에서 들었던 러시아 이야기와 어머니에게 들었던 우즈베키스탄의 이야기를 번갈아가며 구연했다. 이야기 전달력이 좋고, 한국어 발음도 좋았다. 재미있게 동작을 넣어가며 내용을 전달하는 특징이 있다. 함께 조사에 참여한 다른 나라 제보자들이 내용 전달을 어려워할 때는 적절한 단어를 제시하면서 거들기도 했다. 적극적인 화자와 청자로서 이야기판을 즐겁게 이끌어 나가는 데 큰 몫을 했다. 샤히스타 제보자가 구연한 설화는 총 4편이다.

옵샨코바야나

[우즈베키스탄, 여, 1980년생, 이주노동 10년차]

옵샨코바야나 제보자는 고려인 3세로 1980년에 우즈베키스탄에서 태어났다. 우즈베키스탄 남성과 결혼하여 우즈베키스탄에서 살다가 남편과 함께 한국으로 이주한 지 10년이 되었다. 한국에서는 우즈베키스탄 식당을 운영하고 있다.

옵샨코바야나 제보자는 적절한 대화체와 동작을 섞어가며 극적인 구연을 하는 등 이야기구연 능력이 매우 뛰어난 편이다. 고향에서 유치원에 근무하며 어린이들을 대상으로 동화를 구연한 경험이 많다고 했다. 할머니의 이주 생활에 대한 간접 체험담 외에 동화적인 민담과 우화를 주로 구연했다. 본인의 구연 능력과 이야기들에 관해 자부심을 드러내기도 했다. 구연한 자료 가운데 4편을 정리대상으로 삼았다.

허율리나

[우즈베키스탄(고려인), 여, 1990년생, 이주노동 5년차]

허율리나 제보자는 고려인의 후손으로 1990년에 우즈베키스탄에서 태어나 한국어를 전공한 뒤 한국에 와서 통역과 관련된 일을 하고 있다. 1차 조사 때는 미혼이었으나, 2차 조사를 위해 만났을 때는 결혼한 상태였다. 안산에 거주하면서 다문화강사로 활동 중인 이주여성들과 안산 다문화 작은도서관에서 옛이야기 모임을 하고 있다.

허율리나 제보자는 영상과 사진 공개를 원하지 않았지만, 이야기를 구연에 매우 적극적이었다. 어린 시절에 들은 러시아 이야기를 많이 구연했으며, 종종 우즈베키스탄의 이야기를 구연하기도 했다. 미리 준비한 이야기 외에 어렸을 때의 기억을 되살려 구술을 진행하기도 했다.

허율리나 제보자는 한국어가 유창하며 발음도 정확했다. 긴장하지 않고 웃으면서 즐겁게 이야기를 구연했다. 2차 조사 때는 더 적극적으로 다른 나라 제보자들의 이야기를 들으면서 자기가 들은 이야기와 비교하는 등 의욕적으로 이야기판에 참여했다. 구연한 자료는 총 11편이다.

토레에바 아이자다(정수진)

[키르기스스탄, 여, 1980년생, 결혼이주 16년차]

토레에바 아이자다 제보자는 1980년 키르기스스탄의 토크목에서 태어났다. 한국인과 결혼한 뒤 한국으로 이주해 영덕에서 남편과 딸과 살면서 간호조무사를 하고 있다. 키르기스스탄에서 이주해온 사람들이 서로 소개하는 과정에서 영덕과 대구에 많이 살게 되었다고 했다. 조사 당일에도 제보자와 함께 이주해서 옆집에 사는 친구 마두마로바씨가 와서 함께 이야기를 들었다.

조사팀은 토레에바 제보자를 서울시 다문화동화공모전을 통해 알게 되었다. 제보자는 한국어 실력이 고급 수준이고, 배움에 대한 열정이 많아서 한국어를 지속적으로 공부하는 한편 간호조무사 공부, 사회복지학 등의 공부를 해 왔다고 한다. 조사팀과 만난 제보자는 책을 보고 미리 준비해온 이야기 외에 기억 속의 이야기를 되살리기도 하면서 차분한 태도로 이야기를 구연했다. 생애담과 전설, 민담 등 총 14편의 자료를 구술했다.

무나바르

[타지키스탄, 여, 1995년생, 유학 2년차]

무나바르 제보자는 타지키스탄의 외국어대학에서 한국어를 전공했고, 2017년에 정부 초청 장학생으로 신라대에 입학하면서 처음으로 한국에 왔다. 신라대에서 1학년을 마친 뒤 건국대 국어국문학

과에 입학해서 학업을 이어가고 있다.

고급 수준의 한국어를 구사하는 무나바르 제보자는 한류에 관심이 많아지면서 방송 관련한 일을 하고자 한다. 한국문화에 많은 흥미와 호감을 가지고 있지만 타지키스탄의 문화도 지키면서 한국에서 생활하고 있다. 조사 당시에도 무나바르 제보자는 라마단 기간의 규율에 따라 금식을 하고 있었다. 무나바르 제보자는 고급 수준의 한국어 실력에 비해 설화에 대한 관심은 그리 크지 않아서 주로 타지키스탄의 문화에 대한 내용을 주로 구술했다. 3편의 설화를 포함해 총 11편의 자료를 구술했다.